堤 未果

堤未果のショック・ドクトリン

政府のやりたい放題から身を守る

JN003577

GS
幻冬舎新書
690

堤未果のショック・ドクトリン／目次

第2章　命につけられる値札 ——コロナショック・ドクトリン　149

編集協力　山城 稔
図版・DTP　美創

序章　9・11と3・11
——私のショック・ドクトリン

「考えろ、考えろ、たとえ一秒の何分の一ぐらいの
時間しか残されていないとしても。
考えることだけが唯一の希望だった」

――ジョージ・オーウェルの小説『一九八四年』より

1　さらに邪悪な者たち

世界が永遠に変わった日

たった1時間42分で、世界を変えてしまった事件を覚えていますか？

２００１年、9月11日。

一度に**4機の航空機がハイジャックされ、ニューヨークの世界貿易センタービルに激突、**国防総省ビルとともに破壊された9・11同時多発テロ。

この本を読んでいるみなさんの中には、あのときの衝撃的な映像を緊急速報ニュースで観た方も多いのではないでしょうか？

焦《あせ》った表情のアナウンサーが、必死に現場と音声をつなぎ、状況を伝えていました。

「ニューヨークの超高層ビル、ワールドトレードセンタービルのツインタワーに、日本時間の今夜10時5分頃、2機の航空機が、18分間の間隔をおいて突入したということです。

ＦＢＩによりますと、パレスチナ解放人民戦線が、この犯行声明を出したそうですが……

航空機が突っ込み、ビルは現在も炎上しています……あっ……こちらは9時3分頃、2機目の航空機が2棟目のビルに突っ込んだ瞬間の映像です。真っ赤な炎が上がりました……ワシントンでもテロによる攻撃があった模様です……ピッツバーグでも航空機が墜落した模様……ブッシュ大統領は先ほど、『これはテロだ』という声明を発表しており……」

それから間もなくして、9時59分に南側のタワーが、続いて10時28分には北側のタワーが倒壊、轟音とともに地面に崩れ落ちたのです。

当時私は、ツインタワーに隣接する世界金融センタービルの20階にある、米国野村證券で働いていました。リアルタイムでニュースが流れる壁の液晶テレビに、燃えているビルが映された瞬間、フロア中が大パニックになったのを覚えています。

20階から1階まで階段を駆《か》け降り、ガクガクになった足で走りながら振り返ったとき、燃えているタワーの上部から、黒い塊《かたまり》がくるくると旋回しながら落ちてくるのが見えました。

あとになって知ったのですが、あれは、燃えている部屋の熱さに耐えられなくなって、窓から飛び降りた人たちだったのです。

通りは大混乱でした。大音量で鳴り響くサイレン、あちこちから聞こえてくる悲鳴や泣き声、顔や手から血を流して、破れた服のまま走る人、道端《みちばた》にぺたりと座り込んで動けない人……。真っ白い煙が充満して、数メートル先が見えません。

角を曲がろうとしたとき、すごい勢いでぶつかってきたスーツの白人ビジネスマンは、私を助け起こしながら強い口調でこう言いました。

「タワーのほうには絶対行くな。ボディパーツ（遺体）が散らばってる。まるで地獄だ、ベトナムの戦場みたいだ」

ボディパーツという言葉に、頭が真っ白になりました。

足がすくんで一歩も動けなくなってしまった私は、幸いたまたまそばを走っていた同僚に助けられ、近くの港から最後のフェリーに飛び乗って、家まで帰ることができたのです。

あれから20年以上経ちますが、今も毎年この日が来ると、メディアで取り上げられる追悼特集をみなさんも見たことがあるでしょう。

あの朝、過去に一度も外から攻撃されたことのないアメリカ本土が、恐ろしいテロリストたちのターゲットになり、罪のない約３０００人の犠牲者を出した事件。危険を覚悟で燃えているタワーに**救出に向かい、1人を除いて全員殉死したニューヨークの消防隊員、**警察官を合わせると４０３人が亡くなりました。

そして毎回紹介される、死ぬ直前にハイジャックされた機内や建物の中から家族や恋人に電話で伝えられたという、いくつもの愛のメッセージ。

追悼の旋律とともに、流れるのはこんなテロップです。

「あの日を境に、世界は永遠に変わってしまった」

テロの地獄よりもっと怖いもの

けれど、本当に怖かったのは、テロ当日ではありません。

9・11を思い出すたびに、記憶のフタがゆっくり開き、現れるのは、別のものなのです。

あの日体験した地獄より、もっとずっと怖い世界。

飛行機をハイジャックして、**ナイフ一本で無慈悲に３０００人を殺したとされるテロリスト**よりも、さらに邪悪な者たちが存在すること。

それを最初に目《ま》の当たりにしたのは、テロの翌日、9月12日の朝でした。

恐怖と怒りでパニックになった人々の憎悪が、突然現れたテロリストという敵に向かって、凄まじい勢いで吹き出していたのです。

朝起きて通りに出ると、鮮やかな赤と青が目に飛び込んできました。

家々の門や窓にびっしりと貼られた星条旗。

少し開いた窓の隙間から、アメリカの国歌「星条旗」が流れていました。

道行くバスや車にも星条旗がはためき、スーパーや量販店ではプラスチックの国旗が半日で完売、テレビをつけるとブッシュ大統領が拳《こぶし》を振り上げ、こちらに向かって力強くこう言います。

「アメリカは負けない、テロリストになど屈しない。我々は一丸となって、この戦争に必ず勝利する」

バス停でも電車の中でも、会社の休憩室でも、人々の話題はテロとの戦争でもちきりでした。次のテロはいつ、どこに来るのだろう？　自分と家族を守るには、どんな武器を準備すべきだろう？

この頃、多くの主婦たちが、チェーンの大型スーパーで銃を買い、州兵の訓練所に撃ち方を習いに行ったのです。

家族の人数分だけ銃を買ったというアパートの隣人は、一人暮らしの私を心配し、熱心にこう勧めてくれました。

「ベッドサイドの引き出しに入れときなさい。テロリストが入ってきたとき、すぐ出せるようにね」

(寝るときに、頭のそばに銃ですか……。むしろそっちのほうが、怖くて安眠できそうにありません)

やはり、武器で自衛する国民の権利が憲法にまで書かれている国は違います。エレベーターで会うたびに、何度も念押しされました。

「一番上の引き出しに入れてね、聖書の横よ」

無理もありません。テレビ、ラジオ、新聞では毎日のように、「正体のわからない危険なテロリスト」「国内すべての地域が次のテロのターゲットになる可能性」など、恐怖を煽《あお》る報道ばかりが流されていたのですから。

武器というのは不思議なもので、増やせば増やすほど不安が大きくなるのです。

恐怖が国全体を雨雲のように覆《おお》っていき、**銃の売り上げが右肩上がりに上昇、国会では巨額の軍事予算が、満場一致で承認**されていきました。

自由がじわじわ消えていく

なんだかおかしいな、と違和感を覚えたのは、事件に関する情報を集めていたときです。

自分の意見を持ち、それを外に向かって表現できるスキルが重視されるアメリカでは、通常一つのテーマについてさまざまな角度からの声が出るのですが、このときはなぜかほとんど全部が同じ論調のものばかり。

たまにちょっと変わった視点のブログやサイトを見つけて「お気に入り」に保存しておいても、翌日にはサイトごと消えているのです。

会社のＩＴ部門の同僚は、あくまでも噂《うわさ》だけどね、と前置きしてから私に言いました。

「テロとか、あんまり際《きわ》どい単語で検索しないほうがいいよ、今は非常事態だし、安全のために、検索エンジンもチェックしてるみたいだから」

「テロとの戦い」に疑問を投げかけるキャスターやコメンテーターは降板させられ、代わりにそれまで見たこともなかった「武器評論家」なる専門家が何人も登場し、連日テロの危険について解説をするようになりました。

「テロリストが次に狙うのは、ニューヨーク、ニュージャージー、コネチカットの３州」

「生物兵器テロをする可能性があり、人口１９５０万人のうちの半分以上が死ぬ」

この専門家たちの言うことはどれも恐ろしく、国民はますますパニックになっていきました。

彼らが実は元軍人で、政府方針に沿った発言をするために雇われた「御用専門家」だったことがバレるのは、ここから何年も後だったのです。

ネットの世界も同様でした。テロリストの共謀を防ぐために検閲され、政府の方針と異なる意見は、いつの間にか凍結されて読めなくなってしまう。

息苦しくなった私は、野村證券の前に勤めていたアムネスティ・インターナショナルの元上司、マイケルに連絡しました。

「まさか自由の国アメリカで、こんな風に検閲されるなんて。フリーダム・オブ・スピーチ（言論の自由）は？　これじゃアメリカも終わりじゃない？」

電話の向こうで一瞬沈黙した後、マイケルは静かにこう言いました。

「いや、おそらくこれは始まりだ」

それから間もなくして、その言葉は現実のものになりました。

「愛国者法（Patriot Act）」がスピード可決されたのです。

テロリストから**アメリカの治安と国民を守るため、通話記録の収集をはじめ、当局が国内の隅々まで監視する権限を持つ**というもの。かつて日本にあった治安維持法を思わせる内容でした。

賛成しない？　では君もテロリストだ

国家による国民の監視を合法化するなど、通常なら憲法に引っかかり、議会が大騒ぎになる案件でしょう。

けれどこのときのブッシュ大統領は巧妙でした。テロリストがいつまた次の攻撃を仕掛けてくるかわからない状況で、ちんたら議論などしている時間はない。国民の命と安全を守るために、即座に成立させなければならない法案だ、と、議員たちを煽ったのです。

各議員事務所に配布された法案は、なんと342ページ！

しかも非常事態下ですから、いつもと違って採決まで全然時間がありません。

電話帳のような厚さの書類を渡された議員たちは青ざめました。

多数決で物事を決める議院内閣制の日本では、所属政党の方針に逆らわないよう党議拘束がかかり、党と異なる票が投じられることはあまりありません。そんなことをしたら問題にされ、罰として役職から降ろされたり、最悪の場合、次の選挙で公認してもらえなくなるからです。

私も知ったときはびっくりしたのですが、採決が終わった後のニュースを見て初めて、「えっあの法案、そういう中身だったの？　へえ〜」などとおっしゃる先生は、実は日本には少なくありません。

一方、大統領制のアメリカは党議拘束なし。

だから議員たちは法案をじっくり読み込んで、慎重に賛否を判断します。党のためでなく、自分に投票してくれた選挙区にとってプラスかマイナスか？　判断を誤ると地元から突き上げられますから、各分野の専門家とスタッフを総動員して、しっかり法案を読み、議論してから決めるのです。

３４２ページの法案を短時間で検証するのは不可能でした。

ついでに言うと、たった2週間でそれだけの草案を準備するのはどう考えても無理なはず、というかなり重要なツッコミも出ていたのですが、「愛国か？　死か？」と言わんばかりの報道に忙しい大手メディアに総スルーされ、いつの間にか消えたのです。

デニス・クシニッチ元民主党議員は、あとになってこのときのことを振り返り、こう言っていました。

「あのときの議会には、いつもと全く違う空気が充満していたんだ。この法案に賛成しない？　ならばお前もテロリスト側だ、というような」

テロリストへの恐怖でヒステリー状態になっていたのは、国民だけではなかったようです。愛国者法はあっさりと通過したのでした。

これ以降、電話やファックス、メール、クレジットカード番号や銀行口座、**ネット上の発言や掲示板でのやりとり、書店でどんな本を買っているか**、どこのスポーツクラブに入っているかまで、国民を日常的に監視する権限を政府は手に入れたのです。

あのとき、不安に駆られた有権者から連日対応を迫られていた議員たちには、想像もつかなかったに違いありません。テロからわずか45日で成立させたこの愛国者法が、アメリカ一国のみならず、その後全世界の為政者たちに、自国の管理・統制システムを正当化させていくことを。

大人は選挙が近くなると、若い世代にこう呼びかけます。あなたの一票が社会を変える。だから選挙に行きなさい。私もずっとそう思っていたし、今もそれは変わりません。

けれどもう一つ、9・11直後のアメリカで身に染《し》みた、絶対に忘れてはならないこと。それは、一度成立してしまったら、凄まじい勢いで社会を変えてしまう「法律の力」です。

議員は生身の人間ですから、同調圧力にのまれたり、目の前に差し出される誘惑に負けて買収されたり、身内だけだと油断した失言を切り取り音声で流されたりと、いろいろあるでしょう。メディアも議員個人を面白おかしく取り上げたほうが、特にテレビは視聴率がとれますから、どうしてもそちらが中心になります。

その結果、私たち国民は、政治家の言動に腹を立てることはあっても、国会でどんな法案が通っているかにほとんど気がつきません。

そしてある日、びっくりするのです。

「あれ？　こんなに税金高かったっけ？」

「警察って、いつからここまでプライバシーに介入できるようになったの？」

「この豆腐、前には遺伝子組換えの表示があったはずだけど、なんでなくなっちゃったんだろう？」

大好きだった恋人の邪悪な顔を知る

9・11パニックの中で成立した愛国者法を皮切りに、アメリカ社会は根底から変えられていきました。

テレビをつけると、政府方針を擁護するコメンテーターばかりが並び、**学校に小さな工作用ハサミを持ってきた小学生の女の子が警察に連行された**というニュースが流れます。

空港のゲートには洋服を着たまま丸裸に映る屈辱的なミリ波スキャナーが設置され、国中につけられた３０００万台の監視カメラからは、週に40億時間分の映像が警察に送信されるようになりました。憲法を教えていた教師が正当な理由なく解雇されました（授業内容が監視されていたそうです）。非公開の軍事法廷が立ち上げられ、たいした証拠もなく、大量のテロ容疑者が拘束されていきます。

　これはのちに人権団体に問題視されましたが、オバマ大統領によってアウトソーシング形式に切り替えられ、今も廃止されていません。

　9・11直後のアフガニスタン爆撃も、大量破壊兵器疑惑を理由にアメリカ政府がイラクに侵攻したときも、国内はおかしいと言えない空気でいっぱいだったのです。

　いったい、これはなんだろう？

　子どもの頃から憧《あこが》れていた自由の国が、あっという間に全体主義国家のようになっていく。

　大好きだった恋人の、知らなかった邪悪な顔を知ってしまったようで、毎日がショックの連続でした。

　どんどんエスカレートしていく政府のやりたい放題は、もう暴力としか思えず、疑問を口にしたくても、周りの人たちはテロへの恐怖でピリピリしているか、検閲や通報を恐れているかで、彼らとはまともな会話になりません。

ストレスと連動するように、ＰＴＳＤ（心的外傷後ストレス障害）がひどくなってきたのもこの頃でした。夜、ベッドに入って目を閉じると、ガラス張りの部屋に閉じ込められて、窓から飛行機が突っ込んでくる悪夢に襲われ、自分の悲鳴で目が覚《さ》める。道を歩いていて飛行機のジェット音がすると、地面がぐるぐる回りだし、立っていられなくなって、その場に座り込んでしまう。外に出るのが怖くなりました。

ニューヨークから**世界をよりよい場所にするために全力を尽くしたい**という夢は、猛スピードで全体国家化していくアメリカへの失望とともに砕け散り、一歩も先に進めなくなってしまったのです。

野村證券を辞めて日本に帰国すると、今度は怖くなりました。留学して、頑張って卒業して、ちゃんと仕事をしていたのに、帰ってきちゃったんですか？　これからどうするんですか？　と聞かれても答えられません。気丈に振る舞っていたものの、人と会うことも嫌になっていたのです。

そんなある日、いくら食べても痩せていき、塞《ふさ》ぎ込む私を心配した母が、荒業で有名な山で修行を終えたというお坊さんのところに連れていってくれたのでした。

その人は気の抜けた私を見て、言いました。

「心が動かなくなっているのは、情報が入りすぎているからです」

そして、聞いたことのない不思議な修行、「人断《ひとだ》ち」を勧められたのです。

それは、一定期間、徹底的に外部とのコミュニケーションを断つというものでした。人と会うだけでなく、電話もファックスもメールもダメ、もちろんパソコンを開くのも禁止です。

外からの情報を入れず、過去も未来も考えない。

ちょうど母が仕事で数か月日本を離れるタイミングで、家には私と寡黙《かもく》な灰色うさぎ1羽だけ（ちなみに犬や猫のように、声を出す動物はダメ）でした。

こうして私は、静寂と孤独の世界で過ごすことになったのです。

2 ナオミ・クライン
『ショック・ドクトリン』との出会い

五感を再起動したら、自分自身を取り戻せた

情報や人との接触を断つというと、みなさんはきっと、今でいう「引きこもり」のようなイメージを持つかもしれませんが、少し違います。

外には出られるけれど、本を読んだり動画を見たり、チャットや掲示板を見るのもNG。情報を遮断《しゃだん》して、ひたすら自分や自分の身体《からだ》とだけ会話するのが「人断ち」なのです。

私がそこでやったのは、誰とも会わず会話せず、毎日朝起きて身体を動かし、毎週1回配達される食材で作ったご飯を一人で食べて、神社に散歩に行き、またご飯を食べてお風呂に入って寝る、というシンプルな暮らしでした。

最初のうち、しょっちゅう頭に浮かんできたのはニューヨークでの生活です。何もかもが高速で進むウォール街。24時間、**情報が飛び交い**、**出遅れたら負け**という過酷な世界。仕事も会話もすべてがスマートで無駄がない。スピードには中毒性があると知ったのは、

帰国後、私の身体にもそれがすっかり染みついていたことに気づいたときでした。

人断ちは、それとは真逆の世界です。時計はなく、音もなく、今何時かもわかりません。

最初に湧《わ》き上がってきたのは、「情報が欲しい」という飢《き》餓《が》感でした。

外の世界で何が起こっているのかがわからないことが、不安でたまらないのです。

まるで大海の上に自分一人取り残され、どんどん皆から引き離されて独りぼっちになっていくようでした。

「誰かとつながりたい」という欲求も高まっていきます。人間は社会的動物で、誰ともつながっていないと寿命が短くなると何かで読んだことを思い出しました。

怖くて不安でたまらないのに、誰も助けてくれません。

10日ほど過ぎた頃から、少しずつ変化が起こり始めました。

「体感」が戻ってきたのです。

自分の手の温《ぬく》もり、立ったときに足の下にある地面、さらさらと風にそよぐ葉の音に、鳥たちのさえずりに虫の羽音、木《こ》漏《も》れ日のきらめきや、朝と夜の空気の密度と匂い、道端のたんぽぽの鮮やかな黄色……。まるで、今まで一時停止していた五感が、再び動き出しフル稼働し始めたかのようでした。

本も読まずテレビも見ずに食べることで、目の前の食べ物をしっかり意識して、食材の触感を確かめ匂いを嗅《か》ぎ、一口一口を全身で味わいます。

食べたものが身体に入り、自分の一部になり、また自然の中に出ていくこと。当たり前のこの循環を意識したのも、考えたら初めてのことでした。

ウォール街でのランチは、忙しさの中いかに早く済ませるかが勝負。1分でももったいないと言って、いつもパソコンで株価チャートを見ながら、ささっと終える世界です。

食事をしている間は、世界に食べ物と私しかいないかのように、意識を集中させること。

そんな風に食べ方を変えてみたら、私たち日本人が口にする「いただきます」という言葉の精神性が、胸の奥深くに浸透していきました。

情報が入らないからではなく、体感が麻痺《まひ》して身体の声が聞こえなくなるから不安になる。そしてその穴を埋めようと、さらに情報を追っかけてしまうというループにはまりこんでいたのです。

このときの経験のおかげで私は、情報を探そうと躍起にならなくても、違和感を捉えるアンテナのほうを高めることで、必要な情報は向こうから入ってくるようになりました。

私たち人間には、そういう本能がちゃんとあるのです。みなさんもぜひやってみてください。

情報を入れるほど不安にのまれ、真実が見えなくなる

そして私は思い出したのです。9・11を経験してから、自分が毎日のように情報を探していたことを。

元から活字中毒のせいもありますが、ひっきりなしに本や新聞、雑誌にネットで、テロを境に変わっていくアメリカについて、自分が抱いた違和感やショックのヒントになりそうな情報がないか、まるで追いたてられるかのように片っ端から調べていたのです。

思えばツインタワーが崩壊したあの朝、世界金融センタービルの20階から1階まで、1０００人の社員と押し合いながら駆け降りたとき、何よりも**一番怖かったのは、情報から遮断されていること**でした。

「何が起こっているのよ！」とヒステリックに叫ぶ声が、上からも下からも聞こえていました。毎日リアルタイムで世界情勢をキャッチして、右から左に秒単位でお金を動かす職場にいた私たちは、たった数時間情報にアクセスできなかっただけで、あんなにパニックになっていたのです。

テロの後、情報が検閲され、真実が見えなくなって、一気におかしな方向に進んだアメリカ社会。私自身もまた、帰国後も、毎日新しい情報を入れないと不安でたまらなくなっていました。そうさせていたものの正体は、真実が見えなくなるほどに巨大化する「恐怖」だったのです。

古今東西、為政者は、**都合の悪い情報を遮断し、多様な言論を統制し、おかしいことをおかしいと言える自由を奪おうと躍起**になってきました。

9・11後のアメリカで私が感じたように、みなさんも、新型コロナパンデミックの最中に、なぜある種の情報が手に入らないのだろう？　と疑問に思ったことはありませんか？　じゃんじゃん食べましょうと推《お》しながら、なぜ政府はコオロギ食のデメリットを教えてくれないのか？　新型コロナワクチン接種の副反応で死亡した遺族の声を、なぜ担当大臣がブロックするのか？

真実とはいつの世も、努力なしには手に入らない貴重品なのです。

ならば、と私は自分自身に言いました。

「自分の手で探しに行こう」

そのとき浮かんできたのは、放送ジャーナリストだった父の顔です。

私の父は、「アフタヌーンショー」というテレビ朝日の番組内で「なっとくいかないコーナー」という企画を担当していました。

社会の中の理不尽な仕組みや、私腹をこやすために権力者に忖度《そんたく》する政治家、利益のために消費者を蔑《ないがし》ろにする企業や、保身に走り困っている人を冷遇する公務員などによって不利益を被《こうむ》った人のところに飛んでいって話を聞き、「納得いかない！」という市民側の声をテレビで思う存分発信させるこのコーナーは、視聴者に大変人気がありました。

通常は泣き寝入りさせられる庶民が堂々と訴える一方で、いつもは偉そうにしている政治家や会社の社長、役所の担当者などが、カメラを回されるとコソコソ逃げ回る姿がお茶の間では痛快だったのでしょう。

無論、権力者側には大いに嫌われ、永田町から「あいつだけは呼ぶな」などと名指しで指示が入ったこともあったようです。

父は徹底して社会の中の弱い側につくというポリシーを生涯貫いていたものの、それ以外はかなり手段を選ばずモーレツで、今なら絶対に訴えられるレベル。中高生の頃の私は、何かもう、そういうのがすごく恥ずかしくて嫌で、「ジャーナリストだけにはならない」といつも周りに宣言していたのでした。

けれど不思議なことに、海に出た鮭《さけ》が、やがて自分で川の流れをさかのぼり、元いた場所に戻ってくるように、私はジャーナリストになって、変わり果てたアメリカに戻ることを決めたのです。そう告げた父に言われたことは2つ、「俺の名を出さずに自分の世界を確立しろ」「スクープじゃなく人間を追え」でした。

ニューヨークで私を可愛がってくれたABCテレビの女性プロデューサーが教えてくれた、「なりたいものになるには、名刺を作れ」という手法があります。

「ジャーナリスト・堤未果」と印刷した名刺を手にしたあの瞬間、新しい私が誕生したのでした。

人格を破壊し、入れ替えるCIAの拷問マニュアル

それから数年後、ナオミ・クラインというカナダ人ジャーナリストが書いた『ショック・ドクトリン』という一冊の本が、次の大きな扉を開いてくれることになります。

最初にこの本を読んだときの衝撃は、今も忘れられません。そこに書かれていたのは、9・11で私が体験し、疑問を感じ、強めてきた違和感の正体に気づかせる、ヒントの数々だったからです。

ショック・ドクトリンとは、テロや戦争、クーデターに自然災害、パンデミックや金融危機、食糧不足に気候変動など、ショッキングな事件が起きたとき、国民がパニックで思考停止している隙《すき》に、通常なら炎上するような新自由主義政策（規制緩和、民営化、社会保障切り捨ての三本柱）を猛スピードでねじ込んで、**国や国民の大事な資産を合法的に略奪し、政府とお友達企業群が大儲《もう》けする手法**です。

米中冷戦時代に、共産主義拡大を警戒していたアメリカの中央情報局（ＣＩＡ）が、捕虜のアメリカ兵を見事に反資本主義に変えてしまう中国共産党の洗脳テクニックを研究し始めたのが発端でした。

まずターゲットの感覚（視覚、嗅覚、触覚などの五感）を強制的に遮断し、その後心身を拷問して人格を白紙にしたところに都合のいい思想を挿入し、新しい人格に作り変えてしまう。精神科医のドナルド・Ｅ・キャメロン博士の実験から生まれた「ＣＩＡ拷問マニュアル」は、のちに国外の収容所で秘密裏に使われることになります。

捕虜の拷問はジュネーブ条約で禁じられているために、アメリカ政府はこのマニュアルを使っているのが見つかって批判されるたびに、言い訳してごまかしていました。

その後、このマニュアルに「国土安全保障」という大義名分を与えたのがブッシュ大統領です。拷問が尋問理由として正当化されるようになったのは、他でもない、私が体験したあの9・11だったのです。

〈強いショックで思考停止させ、いったん思想を白紙にしたところで理想的な人格に作り変えるというこの手法、もしこれを個人じゃなく国家をターゲットに実行したらどうだろう？　ショックを与えるのは個人でなく国家全体、そして破壊した後に、理想の経済システムと入れ替えるのだ〉

そう思いついた、一人の若い経済学者がいました。

のちにノーベル賞を受賞するシカゴ大学の経済学者、ミルトン・フリードマン教授です。

シカゴ大学経済学部と株主ユートピア

当時のアメリカは、１９２９年の株価大暴落による大恐慌の反省から、二度と銀行にやりたい放題させないよう政府が規制し、所得は独り占めさせないよう公平に再分配し、労働者たちを守るべしという「ケインズ主義」が主流でした。

そんな中、これとは真逆の考え方（政府が下手《へた》に介入さえしなければ、市場は自ら完璧に機能する）を持つフリードマン教授や、彼が敬愛するフリードリヒ・ハイエクらは完全に少数派、なんとも肩身の狭い思いをしていたのです。

ケインズ主義だけでなく、この時期は第二次世界大戦後に注目されたヨーロッパの社会民主主義や、自国資源を外資から守り、教育や公共サービスを重視することで国の建て直しを図る途上国の開発主義など、国内ファーストの政策が新しい時代の幕を開けようとしていたときでした。

実はこのとき、フリードマン教授たちの他にも、こうした世界のトレンドを忌々《いまいま》しく思う人々がいました。再分配など気にせず、**自由に好きなだけ儲けたいと願う銀行家と多国籍企業、投資家たち**の一派です。

けれど企業といえども時代の潮流を読まねば世論に叩《たた》かれますから、なかなか表立って「金儲けさせろ」とは言えません。

ところが灯台もと暗し、自分たちの欲望をアカデミックな提言に変えて代弁してくれる、新進気鋭の若き経済学者がいるではないですか。

そうなったら善は急げ。白羽の矢が立てられたフリードマン教授とシカゴ大学経済学部に、早速惜しみなく財界マネーが注ぎ込まれました。

社会全体がショックで麻痺《まひ》している隙に、あらかじめ用意しておいた新自由主義のドクトリン（規制緩和、民営化、社会保障切り捨て）を強引に導入するというフリードマン教授の「ショック・ドクトリン」。

しかしさすがに、これを当時ニューディール政策真っ最中だったアメリカでやるわけにはいきません。そこで先に外国で実証実験をすることに決定。

選ばれたのは南米のチリでした。

やり方はこうです。まずは「２国間の国際交流を活性化する」という名目で交換留学奨学金制度を立ち上げて、チリから大量の学生を呼び寄せます。

奨学金といっても、日本のような、名前は奨学金だけど実は利子つきローンという騙《だま》し討ち商品でなく、こちらは留学生側の自己負担はゼロ、正真正銘の奨学金制度ですから返済の必要はありません。すべてスポンサーが面倒を見てくれます。

たった一つ、「留学先はシカゴ大学のみ」という必須条件を除いては。

これは企業家たちにとって、期待以上のリターンが得られる、ローリスクハイリターンの投資でした。

まだ若く頭の柔らかい学生たちは、４年間みっちりフリードマン教授の新自由主義を叩き込まれ、シカゴ学派の「フリードマン・チルドレン」として成長します。

卒業後は母国チリに戻り、**政府高官や政治家、大企業2代目などの要職につき、自国内部から新自由主義政策の導入に尽力してくれる**という寸法でした。

今の日本でも、新自由主義を信奉する政治家や有識者の留学先を見ると、そこに共通点があるのがわかります。経歴の中に留学の文字があったら、どの教授の下《もと》で学んだかまで確認してみましょう。

大学は、思想形成に重要な役割を果たす場所。そのとき師事した教授の思想に必ず影響を受けるからです。

チリの国政選挙で、選挙によって選ばれた世界初のマルクス主義政権であるアジェンデ政権が誕生すると、各分野で要職についていたフリードマン・チルドレンたちと、軍や警察に入り込んだＣＩＡ工作員たちが結託して軍事クーデターを起こし、アジェンデ大統領を自殺に追い込んだ後、アメリカの息のかかったピノチェト将軍を置いたのでした。

世界中に放たれる危険なフリードマン・チルドレン

その後はマニュアルに沿って、反対する国民を片っ端から公開で拷問、国中がショックで震え上がったところで、一気に新自由主義政策を導入します。

外資が参入できるよう、それまで保護されていた国内市場をワイドに開放。安い輸入品がどっと流れ込み、国内産業が次々になぎ倒されていきました。

医療と教育の予算は大幅に削られ、公立学校から教師が追い出され、バウチャー制に変えられることで、民間経営の学校が増やされていきます。

子どもたちの学校給食はコストカットでメニューが貧相になり、**幼稚園やお墓まで、まさに徹底した民営化祭りが繰《く》り広げられた**のです。

食糧価格や電気・水道・ガスなどの公共料金は上限が外されて高騰《こうとう》し、ロケット級に上昇したインフレ率は３７５％まで到達してしまいました。

このとき、反発する市民は速《すみ》やかに逮捕・拷問し、恐怖をしっかり植えつけておかなければなりません。

そしてここが一番肝心なのですが、国民が正気に戻る前に、ボロボロになった国営インフラや国内企業の上に、外資のハゲタカたちが「待ってました」とばかりに舞い降りて、それらを最安値で根こそぎ手に入れてしまったのです。

フリードマン教授や銀行家、多国籍企業、投資家たちにとって、チリでの実験は大成功。ショック・ドクトリンの5大ステップはここで確立したのです。

①ショックを起こす
②政府とマスコミが恐怖を煽る
③国民がパニックで思考停止する
④シカゴ学派の息のかかった政府が、過激な新自由主義政策を導入する
⑤多国籍企業と外資の投資家たちが、国と国民の資産を略奪する

西側メディアはこれを「自由市場の奇跡」などと大いに絶賛しましたが、フタを開けてみるとそれは、アメリカとそのお友達（銀行家と多国籍企業と投資家）が国家と国民の資産を食い尽くした「コーポラティズム国家」に他なりませんでした。

ここまで読んだみなさんは、首をかしげているかもしれません。

「ちょっと待てよ。この新自由主義政策の数々と、医療、教育、労働者の切り捨て、選挙で選ばれてもいないのに、総理や大臣のアドバイザーとして自らの利権のための入れ知恵をする『有識者』なる者たち、国民生活が苦しくなる一方で政府ベッタリの経済界はうんと儲かっていく。この光景、どこかで見たことがあるぞ……」

はい、その通りです。

チリでの実験の後、フリードマン教授のこの「強欲略奪バイブル」は、ブラジル、アルゼンチンから始まって、アフリカ、中東でも使われ、イギリス、アメリカ、タイや韓国、インドネシア、大国ロシアと中国にまで導入され、まるで**獲物を探して大陸から大陸へと世界中を駆け巡る凶暴なバッタの群れ**のように、富を食い尽くしていったのです。

私たちの国日本にも、特に小泉純一郎政権以降、何度も使われてきました。

９・11テロの後、世界各地の著名な映画監督たちによって、犠牲者への追悼メッセージを込めて作成された短編映画集がニューヨークで公開されました。

映画館である一編のあらすじを見たとき、心がざわざわと泡立ったのを覚えています。

「もう一つの９・11。舞台は１９７３年９月11日のチリ」

そう、それはまさに、フリードマン教授と外資の銀行家、多国籍企業、投資家と、息のかかった国内お友達一派によって人為的に引き起こされた、あのショック・ドクトリンでした。そしてその略奪の手口は、まさに９・11後のアメリカで使われたものと同じだったのです。

3 猛スピードでグローバル化するショック・ドクトリン

3・11ショック・ドクトリンが日本を襲う

9・11後のアメリカで、猛スピードで導入される過激な新自由主義政策と、解体されていく経済、言論の自由が奪われ、市民のささやかな暮らしが踏みにじられ、合衆国憲法の精神が失われていく中で私を打ちのめしたのは、自分には何もできないという無力感でした。今思えば、ショック・ドクトリンを仕掛けられたアメリカで、私自身が恐怖で完全に思考停止していたのです。

人断ちで麻痺した体感を取り戻し、父と同じジャーナリストになると決め、再び訪れたアメリカで自ら取材した多くの人々の証言を聞くたびに、散らばっていたパズルのピースが一つまた一つとはまっていきました。このとき、自国政府にショック・ドクトリンを仕掛けられたアメリカ国民への取材をまとめたものが、「ルポ 貧困大国アメリカ」（岩波新書）というシリーズになったのです。

今考えると、空っぽになった私が再び歩き始めたそのタイミングで、ナオミ・クラインの原書と出会ったことは、不思議な力に導かれたと思わずにいられません。

彼女が暴《あば》いた、世界中で略奪の限りを尽くす「今だけカネだけ自分だけ」の人々と、彼らが仕掛ける強欲ゲームのルール。

和訳が日本で刊行されたのは、それから４年後の２０１１年。東日本大震災の半年後のことでした。

岩波書店からこの本の推薦文を依頼された私は、躊躇《ちゅうちょ》なくこう書いたのです。

「3・11以後の日本は確実に次の標的になる」

9・11テロのアメリカや、スマトラ沖地震があったスリランカ、米英爆撃後のイラクなどと同じように、**史上最悪の原発事故という巨大ショックに見舞われた日本**でも、すでに復興の名の下で、数々のショック・ドクトリンが仕掛けられ始めていました。

日本中がショック状態にある隙に、東北では空港や水道を外資に売り渡す道筋がつけられ、今後20年続く巧妙な再生エネルギー賦課金制度が導入され、被災地には10年後にやってくるデジタル植民地の基礎となる、スーパーシティのモデル都市が作られていたのです。

アメリカの作家マーク・トウェインの、「歴史は繰り返さないが、韻《いん》を踏む」という言葉は事実でしょう。

全く同じ出来事が起こるわけではないけれど、一つ一つの事象をつなぎ、長い時間軸で眺《なが》めると、ある共通パターンが見えてくるからです。

過去をひもとき、つなぎ合わせ、その法則を知ることで、歴史は私たち市民が未来を取り戻すための、強力な武器になるのですから。

デジタルで凶暴化するショック・ドクトリン2・0

ナオミ・クラインがその手口を暴いた『ショック・ドクトリン』から16年。

その間、ショック・ドクトリンには2つの大きな変化がありました。

ターゲットが世界規模になったことと、ＧＡＦＡ（アメリカ大手ＩＴ企業群）やＢＡＴＨ（中国大手ＩＴ企業群）のような、極めて危険な新プレイヤーが参入してきたこと。

9・11以降のテロとの戦いや気候変動、金融危機に新型コロナパンデミックなど、グローバル化が進んだことで、ショックの影響を受けるのが全世界になったのです。

私たちの日常はますます仮想空間と一体化し、ショック・ドクトリンの手法もよりスピードを上げ、見えなくなり、巧妙になってきています。

私たちがサービスと引き換えにこうした企業に渡すデータは、買い物だけで使われるのではありません。市民運動に投票行動、誰を好み、誰と付き合うかといったことまで、私たちの選択に影響を与えてくるのです。

新型コロナパンデミックが始まった２０２０年3月から12月、億万長者（上位1％）たちは資産を1兆ドル（約１００兆円）拡大、特にＧＡＦＡを筆頭にしたビッグテック企業は過去最高の売り上げを達成しました。

その一方で、中小企業16万３７３５社が営業停止に追い込まれ、18歳から23歳の若年層の間ではうつ病が蔓延《まんえん》し、家庭内暴力や虐待、自殺が急激に拡大しています。

２０１１年の東日本大震災、２０２０年の新型コロナパンデミック、２０２２年に始まったウクライナ戦争、その間にずっとある気候変動の問題。これらは単発の災害ではありません。どれも根の部分でつながっているのです。

たとえば今、家計を直撃し、みなさんが悲鳴を上げている**電気代高騰は、3・11で仕掛けられたショック・ドクトリンが始まりだった**ことをご存じですか？

他にも「え、あれもそうなの？」と驚くような事件、スキャンダルもありますが、それらについても一つひとつ明らかにしていきましょう。

もちろん、誰がそれを企て、誰がどう実行するのかというショック・ドクトリンの仕組みについても示していきます。検索エンジンの罠《わな》に引っかからない秘策もお伝えしていきましょう。

ワイドショーがスキャンダルを垂れ流す、その裏で

現在は、ナオミ・クラインがショック・ドクトリンを世に紹介した２００７年当時よりさらに大掛かりなショック・ドクトリンが行われています。デジタル化が進み、情報による大衆操作が可能になったからです。

そこで、本書のタイトルは『堤未果のショック・ドクトリン』としました。

これは陰謀を暴く本ではありません。特定の人や企業を攻撃するためのものでもなければ、資本主義や自由化、規制緩和を否定する内容でもありません。

今、昔よりずっとスピードが速くなったこの世界で、何が起こっているのかを多角的に摑《つか》み、全体像を見るスキルを身につけるヒントを差し出すための本です。

少ない情報でも未来が見えるようになれば、大切なものを守るためにすべきことが見えてくるでしょう。

私たち国民が知ったら間違いなく炎上するような、大事な法改正がされるときに限って、なぜワイドショーが横並びでセンセーショナルなスキャンダルを流すのか？

たとえば、芸能人の薬物疑惑、不倫、結婚。さらには不可解な殺人事件や事故。

この本の執筆中、回転寿司チェーンのスシローで撮影されたイタズラ動画が投稿された事件が連日流されていました。

あれによってスシローの株価は暴落しましたが、その直前に大量の株を売り抜けて大儲けしていた人物がいたことはあまり知られていません。

さんざん世間を騒がせた後に別の大手回転寿司チェーンが「新ＡＩカメラシステムを導入します」と発表し、いつの間にかお寿司を食べる姿までカメラで監視されるシステムが受け入れられてしまいました。

大人気女優の結婚報道の裏では、**日本の宝である中小企業を売り飛ばす企業法改正がすんなり成立**しています。

旧統一教会問題から始まった現職大臣たちの辞任ドミノでワイドショーやニュースが一色になったとき、任意のはずのマイナンバーカードを実質義務化するマイナ保険証への切り替え方針や、総理の指示権を強化する「内閣感染症危機管理統括庁」の発足がいつの間にか決定してしまいました。

２０５０年までにまともな土壌は消滅すると土壌学者たちが警告し、最後に残った肥沃《ひよく》な土を巡り、世界中で熾烈《しれつ》な土地の奪い合いが起きているのを知っていますか？

ＳＮＳとワイドショーが高市早苗大臣の捏造《ねつぞう》文書云々で沸《わ》いているその隙に、岸田文雄総理がこっそり実施したのは、外資を含む企業に日本の大事な農地を売り渡す法改正です。北海道から鹿児島まで、円安でますます加速する日本の国土の叩き売りを一刻も早く止めなければなりません。

日本売りが本格的に始まったのは、３・11ショック・ドクトリンの下、我が国が環太平洋パートナーシップ（ＴＰＰ）に加盟した頃ですが、これも他国の事例とともに時系列で追っていくことで、今後の動きと対策が見えてくるでしょう。

まだまだ挙《あ》げていけばキリがありませんが、パターンがわかってくると、次に仕掛けられたときも「ん？　おかしいぞ」と嗅覚が利くようになるでしょう。特にスマホ世代の子どもたちには、ぜひ教えてあげてください。

お金の流れで世界を見ると、米中は本当は仲がいい

たとえば、アメリカと中国がタッグを組んでいるのは、その代表例です。

「え、米中って仲間なの？」と意外に思うでしょう。無理もありません。表向きに、いかにも対立しているように見えるのは、そのほうが都合がよいからです。でも金融という視点から見ると、両国がけっこう仲がいいのがわかるでしょう。

２０２０年、中国の著名な学者である翟東昇《てきとうしょう》教授が、講演で次のように口を滑《すべ》らせました。

「ウォール街の狼《おおかみ》たちは、中国共産党の古くからの友人だ……」と。

これがネットで大炎上しましたが、中国政府と米金融業界の蜜月について、初めて聞いたという人は多いかもしれません。

いったい何が真実で、何がウソなのか？

新型コロナウイルスもウクライナ戦争も、GoogleやFacebookがいつの間にか規約を変えて、政府や世界保健機関（ＷＨＯ）の方針と異なる書き込みは消されるようになっており、気候変動についてもフィルターがかけられ始めています。デジタル化が進むにつれ、情報の選択肢がいつの間にか奪われていることに、ほとんどの人は気がついていません。

今の私たちは、ルールブックを隠されたままゲームに参加させられているプレイヤーなのです。

机の向こうにいるのは、**自分たちだけ印のついたカードを持ってニヤニヤしている**強欲軍団。このままでは彼らのやりたい放題にされ、自分だけでなく子どもや孫の代まで、大事なものが根こそぎ奪われてしまいかねません。

インチキ賭《と》博《ばく》に負けない方法はあるのでしょうか？

あります。そのためにこの本を書きました。

正しい判断をするための第一歩は、何が起きているかを知ることです。

次々に高速でやってくる情報の渦《うず》にのみ込まれないために、かつてのまれて自分をなくした私がやったように、自分の身体の声を聞き、あふれる情報とテクノロジーによって鈍《にぶ》ってしまった五感を再起動させ、本来の力を取り戻してください。

自分の頭で考えて判断する国民は、そう簡単に騙すことはできません。その証拠に、強欲ショック・ドクトリンを仕掛けられてボロボロになった後、彼らのずるい手口に気づいて立ち上がり、団結し、蹴《け》散《ち》らして、宝物を奪い返した人々の成功例も、世界と日本の両方でどんどん増えているのです。

彼らの戦術を知ることで、私たちはさまざまな仕掛けと、それに対抗する戦い方の選択肢を増やすことができるでしょう。何よりも、世界各地にも同じように、大事なものを守ろうと頑張る仲間がいることは、大きな勇気になるはずです。

透析《とうせき》をしていた父は、２０１０年に腎不全で亡くなる直前、日本の保険証の素晴らしさを私に繰り返し語り、こう言い残していきました。

「この国の宝、お互いさま精神の礎《いしずえ》である、国民皆保険制度をどうか守ってくれ」

あれから13年、父の遺言だったその宝物にまで今、ショック・ドクトリンの魔の手が伸び、危機にさらされています。もはや、ぐずぐずしている時間はありません。

マイナンバーに新型コロナパンデミック、そして脱炭素。

まずはここ日本で仕掛けられている、３つのショックから見ていきましょう。

彼らが仕掛ける最大の罠、「恐怖」にのまれてはいけません。

それに打ち勝つ最強ツールは、私たちの五感がちゃんと持っています。

どんなにテクノロジーが進化しても、一番大切な人間性を失わないために、おかしいことをおかしいと言える自由が残されているうちに、私たちの手でこの強欲ゲームの流れを変えてしまいましょう。子どもたちや孫たちに、**未来を自分の手で選び取る選択肢がある、**

尊い世界を手渡すために。

ショック・ドクトリンの事例と違和感チェックリスト

序章の最後に、「世界のショック・ドクトリン事例」と「違和感チェックリスト」を掲載します。

「世界のショック・ドクトリン事例」では、実際に実行されたショック・ドクトリンでどんな政策が行われたかがわかります。世界の事例を知る中で、「今だけカネだけ自分だけ」の強欲資本主義の恐ろしい本性が見えてくるでしょう。

「違和感チェックリスト」は、ショック・ドクトリンを仕掛けられたときに見抜けるようになるためのチェックリストです。普段何気なく目にするニュースも、違和感のアンテナを磨くことで、簡単には騙されなくなっていくでしょう。あなたの情報へのアンテナ感度をチェックできます。

第1章へ読み進む前に、まずは自分の感度を見てみましょう。

そしてこの本を読んだ後に、もう一度やってみてください。

きっと、鋭くなっているはずです。

政策	ターゲット	勝ち組
通信など国営インフラの民営化、財政支出縮小、価格統制廃止、貿易自由化	国民	ピラニア（小規模投資家）、外資、銀行
脱炭素政策、EV車、大陽光パネル・風力発電、各種再エネ予算や課賦金、畜産縮小政策、家畜に罰則、食糧縮小政策、昆虫食推進、遺伝子組換えやゲノム編集、細胞農業など各種バイオ技術、炭素トラッカー、排出権取引、行動制限と罰金、15分都市、特定の燃料禁止、行動制限、政府による土地回収、スマートシティ、関連分野での言論検閲及び統制	全人類	（自分で考えてみましょう）
民営化、貿易自由化、価格統制廃止	国民	オリガルヒ（財閥）、外資のファンドマネジャー、投資家
財閥解体、民営化、貿易自由化、外資による株式取得や投資の規制緩和、国内企業救済禁止、労働者保護法撤廃	国内企業、国民	外資、投資家、投資銀行
無制限の軍事行動、IT、セキュリティ予算、国外の収容所、軍事法廷、監視・検閲体制の合法化、軍の民営化	全世界の国民、テロ容疑者	（自分で考えてみましょう）
国営企業の民営化、貿易自由化、法人税引き下げ、外資優遇規制緩和、外資のアグリビジネス導入、米軍基地の建設	国民	外資、投資家、アグリビジネス、米軍
富裕層向け高級リゾート開発、高速道路と大型漁港の開発、水道・電気の民営化、ガソリン代引き上げ	漁民、民営化や開発事業に反対する国民	外資、投資家、国内富裕層
公教育への競争導入、バウチャー制度、公立学校と教員切り捨て、チャータースクール拡大	地域住民、教育システム、教職員組合、公共インフラ	教育ビジネス、投資家、銀行
空港民営化、漁業権の民間開放（水産特区）、FIT導入、東北メディカル・メガバンク構想	被災地、国民	外資、投資家、銀行
ロックダウン、ワクチンや検査の義務化、デジタルパス、行動制限や解雇、商業活動の制限、中央政府の指令下に医療機関や自治体を置く、番号カード、緊急時を理由にワクチン開発工程の簡略化、メーカーとの非公開契約に政府の公金投入、各国が税金でワクチン購入、関連分野での情報検閲及び統制	全世界の国民	（自分で考えてみましょう）

世界のショック・ドクトリン事例

ショック	時期	地域
チリ軍事クーデター	1971年	チリ
気候変動	1988年〜	全世界
旧ソ連崩壊	1991年	旧ソ連
韓国通貨危機	1998年	韓国
アメリカ同時多発テロ	2001年	アメリカ
イラク戦争	2003年	イラク
スマトラ島沖地震	2004年	インド洋沿岸
ハリケーン・カトリーナ	2005年	アメリカ
東日本大震災	2011年	日本
新型コロナパンデミック	2020年〜	全世界

- SNSで疑問を送ると担当大臣にブロックされる
- 検索すると反対意見を陰謀論認定する記事が上位にくる
- 外国と日本国内で反応や取り上げられ方が180度違った（外国で規制されている危険物が日本では普通に流通している、など）
- 恐怖や不安が先に煽られ、「国民のため」という名目で言論統制・監視体制が導入された
- メディア報道が擁護か批判のどちらか一方のみ
- 「外国では～」「国際社会では～」と一方向に誘導する報道が増えた（調べたら実は外国では賛否があった、など）
- 外国のニュースが基《もと》なのに、重要部分のニュアンスがオリジナル言語と日本語記事で変えられている
- 同じテーマなのに、国際版（海外版）と国内版で記事の中身が違う
- 「国際機関によると～」と報道されたが、発言者は現地出向中の日本人（官僚など）
- ファクトチェックしているのが利害関係者
- 大多数が信じていたり、正しそうに見えても、なぜかモヤモヤする（重要です！）

違和感チェックリスト

ショッキングな事件や著名人のスキャンダルなど、国民の関心が集中する出来事が起きたときにチェックしてみよう！

- ☑ メディアが横並びで一斉報道
- ☑ コメンテーターの論調がみな一緒
- ☑ インフルエンサーが一方の見方のみ断定、強調している
- ☑ 前にも似たパターンがあった
- ☑ ワイドショーやSNSが騒いでる間に、国会で新しい法案または法改正が可決していた
- ☑ 与党のお友達企業や利害関係者が政策決定のメンバーに入っていた
- ☑ ショック期間に急に決まった新しい法律、政治事業で巨額の利益を得た人・企業がいた
- ☑ 前から反対や批判があった計画が一気に強行された
- ☑ 反対意見や疑問が出ると、「陰謀論」「差別主義者」など、内容でなく「人」にレッテルが貼られる
- ☑ 反対意見や疑問を投げかける動画がYouTubeやSNSから削除されていた

第1章
マイナンバーという国民監視テク

デジタル化で一番気をつけるべきことは？

「決して、権力を集中させてはいけません」

——オードリー・タン（台湾のデジタル担当大臣）

1 コロナ禍が大チャンスだった

国民監視が合法化された9・11ショック

２００１年の９・11テロは、ショック・ドクトリンの「手段」が「目的」に変えられた大事件でした。

それまでは、①まずショックな事件（災害、クーデター、戦争など）が起きる、②ショック状態で国民が思考停止する、③「緊急事態」を理由に憲法や法律を無視して新自由主義（規制緩和・民営化・社会保障切り捨て）政策をどんどん入れる、④政府とお友達企業がダイナミックに儲ける、という４ステップだったのが、「世界の果てにテロリストが一人でもいて悪さをしているかもしれない（＝対テロ戦争中）」として、自国をいつまでも緊急事態下というショック状態に置いておけるようになったのです。

テロ対策という新しい予算枠を得て、軍需産業や民間軍事会社、警察に諜報《ちょうほう》機関にセキュリティ業界などは、**毎年エンドレスに税金を投入される安定した巨大利権を手にしたの**でした。

それだけではありません。

9・11はもう一つ、政府側にも、見えない巨大な権力をもたらしたのです。

デジタルテクノロジーの進化によって、GoogleやAmazon、Meta（旧Facebook）にAppleにマイクロソフトなどのビッグテック企業は、サービスと引き換えに私たちユーザーの個人情報を企業に売ることで利益を上げてきました。

けれど当初からアメリカやヨーロッパでは、プライバシーの観点からこうしたビジネスを問題視する声が、議会や人権団体から上がっていたのです。

しょっちゅう議会に呼ばれて、人権や個人情報保護についてあれこれ追及されるビッグテック企業の重役たちはたまったものではありません。なにしろ彼らのビジネスモデル自体が、ユーザーの個人情報を見えない形で転用することで成り立っているのですから。

今後、世界規模でデジタル市場を広げていこうとしている彼らにとって、大きな障害だったこの問題を解決してくれたのが、9・11という巨大ショックでした。

ブッシュ大統領はすぐに非常事態宣言を発令、それまでは**違法だった**、**裁判所の令状なしの通信傍受が合法**になりました。さらに愛国者法という法律がスピード可決し、テロ対策の名の下に政府がいつでも電話、ファックス、メールを傍受できるようになったのです。

古今東西、為政者たちは、効率よく統治するために、自国のあちこちに部下を走らせ、民が何を考えているかを把《は》握《あく》しようとしてきました。

しかし独裁国家でない限り、民主主義体制の国では、なかなかあからさまに監視などできません。

個人情報を握ろうとすれば、人権意識の高いヨーロッパを筆頭に、その分国民から政府の動きが見えるよう双方向に透明化しろ、と要求が出るでしょう。でも、そうなればお友達びいきの利権や各種隠蔽《いんぺい》、国民に反対されそうな法案など、都合の悪いこともオープンになってしまいます。

テロというショックによって、政府側に国民の個人情報を監視するドクトリンが、あっさりと合法化されたのでした。

その数年後にFacebookやTwitter、YouTubeが開設されると、米当局は「テロ対策」を理由にそれらの企業にデータを出させ、直接国民や外国人の個人情報までとるようになります。

２０１３年にエドワード・スノーデンという元ＣＩＡ職員がこのことを暴露《ばくろ》、さすがに国内外で問題になったものの、結局２０１９年には再び法律のほうを合わせて改正し、ますますやりたい放題が止まりません。

そして２０２０年、さらに大規模なショック材料がやってきます。

中国の武漢市で最初に報告され、瞬《またた》く間に世界に広がった、新型コロナウイルスです。

日本はショックセラピー型で移行せよ

２０２０年４月７日。

日本政府は、新型コロナウイルスの感染が始まって、東京、神奈川、埼玉、千葉、大阪、兵庫、福岡の７都府県に緊急事態宣言を初めて発令しました。

実はこれと同じ日に、新型コロナパンデミックというショックの下、マイナンバーを基盤とした日本のデジタル化を一気に加速させるショック・ドクトリンが熱心に話し合われていたのです（新型コロナウイルス感染症緊急経済対策）。

「まさに、今回の危機をチャンスに転換し、政府として……デジタル・ニューディールを重点的に進め……社会変革を一気に加速する契機としなければならない」

「デジタル政府の基盤となるマイナンバー制度について、抜本的対策を講じ……」「漸進《ぜんしん》主義（ゆっくり）ではなく、ショックセラピー型で移行する」

そもそも２０１６年１月にスタートした特定個人識別番号（マイナンバー）制度は、最初から国民に不評でした。

「住民票の写しや戸籍証明書の取得など行政手続きが簡単になり、必要な人に必要なサービスが速く届き、納税漏れ対策にもなりますよ」とメリットが宣伝されたものの、世論調査では78％の国民が「不安を感じる」と回答していたのです。

２００２年に「住民情報を全国市区町村で共有して便利に！」と導入された住民基本台帳ネットワークシステム（住基ネット）を覚えていますか？

毎年百数十億円、14年間で２０００億円もの税金が投入されながら、この時点でも普及率はたった５・５％、そのお金はいったいどこに消えたのでしょう？

実は、全国９か所に設置された**財団法人地方自治情報センターに、総務省から天下りした役員たちの高額報酬として流れていた**のです。

肝心の住基ネットが普及してもいないのに、総務省の利権マシンと化しているこの実態がバレるにつれ、「ふざけるな、廃止しろ！」と各方面から怒りの声が上がり始めました。

そこで救世主のように登場したのが、マイナンバーだったのです。

まさに渡りに船。

天下り利権が叩かれていた「地方自治情報センター」の看板は速やかに外され、代わりに「地方公共団体情報システム機構（J－LIS）」という新しい立派な看板がつけられたのでした。

マイナポイント2万円分は本当にお得なの？

「いよいよ最後のチャンスです。カードの取得はお早めに！」

一時期、テレビや新聞、YouTubeなど、あらゆる場所でこんな広告が目につきませんでしたか？

２０１５年10月に住民票を持つすべての日本国民に番号が通知され、２０１６年１月から始まったマイナンバー制度。一人一人に割り振られた12桁の番号がもらえるのは一度だけ。原則として生涯変わることはありません。

これを身分証明書として使えるように、番号が入ったプラスチックのカードを作りましょう、という政府のキャンペーンです。

白いうさぎのマスコットに、着ぐるみ姿の新庄剛志や舘ひろしらが登場し、急《せ》かすように流れるメッセージ。

「つくらなくちゃ！　もらわなくちゃ！」

マイナンバーを登録したら5000円、健康保険証を登録したら7500円、給付金などの公金受け取り用銀行口座を登録したらさらに7500円。合計2万円分のお金がもれなくポイントの形でもらえるのです。

政府はこのキャンペーンにとても熱心で、使われた税金はなんと1兆8000億円！

当初野党の小川淳也議員が、国会でこれに嚙《か》みつきました。

（出典：政府広報オンライン）

なぜなら今や日本は、大学生の3人に1人が学費を払えずローンを組み、卒業と同時に数百万円の借金を背負う国。

1兆8000億円とは、**すべての国立大学を無償化できる金額**なのです。

「だいたい、2万円もの現金を渡さないと作ってもらえないカードって、いったいなんなんですか？」

衆議院予算委員会で、そう追及された岸田文雄総理は、キッパリとこう答えました。

「日本社会全体を、デジタル化するためのものです」

２０２１年９月に発足したデジタル庁を思い出してください。

５０００億円近い巨額の予算をつけられたあの省庁の目的はズバリ、私たちの個人情報を１か所に集め、あらゆるサービスをデジタルでつないだ国を作ることです。

そのためにはまず全国民に、共通身分証明書になるマイナンバーカードを普及させなければなりません。

ですがここには一つ、大きな問題がありました。

今の法律では、マイナンバーカードを作ることは個人の自由。強制できないのです。

高齢者がカードを作らないなら、健康保険証を廃止します

実は日本はけっこうなアナログ社会で、官公庁を筆頭に、地方のお役所もいろいろな手続きはまだ紙ベース、契約書も印鑑が主流です。

総務省の調べでも、２０２１年時点で70歳以上の半数以上はスマホを持っていません。

いくら政府が、「マイナンバーカードは身分証明書に使えます」「コンビニで住民票の写しや戸籍証明書が取れます」「健康保険証やワクチン接種証明書として使えますよ」「キャッシュレス決済できますよ」「給付金の振り込みが早いですよ」などとメリットを並べ立

てても、「海外に遅れてますよ」と煽っても、アナログでそれほど困っていない国民、特に高齢者は腰を上げません。

２０２１年10月からは健康保険証と紐《ひも》づけて使えるようにしたものの、かえって負担が増えると現場からは批判の声が。約11万人の医師が所属する全国保険医団体連合会の調べでも、専用のカード読み取り機を導入した医療機関の４割で不具合があったという報告でした。

マイナポイントという餌《えさ》をちらつかせても、**申請期限切れ直前の２０２２年８月末時点で申し込みは５割以下、政府は困り果てていた**のです。

この状況に、強引さと行動力に定評がある河野太郎デジタル大臣は、会見で眉《まゆ》をひそめながらこう言いました。

「これは一つ、真剣に考えなければいけない」

法律で強制できないこの状況で、全国民を、有無を言わさず申請窓口に走らせる方法を真剣に考えた河野大臣が決めたのは、国民の選択肢を奪うことでした。

10月にいきなりこう発表したのです。

「２０２４年秋をもって、紙の保険証は廃止します」

国民皆保険制度のある日本で、全国民が必ず持ち歩き、高齢者ほど頻繁《ひんぱん》に使う健康保険証が今のままでは使えなくなれば、マイナンバーカードを作る以外に選択肢はありません。たちまち国内に激震が走りました。

運転免許証がなくても、パスポートがなくても、**健康保険証があれば身分証明書になる日本**では、財布に入れて持ち歩いている人も多いでしょう。

その健康保険証を廃止して、マイナンバーカードに統合するというのです。

「あったら便利」だったはずのものが、「ないと生活できません」に、するりと入れ替えられた瞬間でした。

では、反対している人は、いったい何を心配しているのでしょうか？

まだイマイチわからない、という人のために、マイナ保険証の問題点を順番に見ていきましょう。

2 マイナ保険証はここが危ない

①カード作成は義務じゃないのに、選択肢を奪って強制

「これは違法！」

法律家の立場から真っ先に反対の声を上げたのは、日弁連（日本弁護士連合会）でした。番号法17条1項には、こう書いてあるからです。

「個人番号カードは住民の申請により交付するものとする」

つまり作るか作らないかは、私たち国民の自由。

でも紙の保険証が廃止されればその選択肢は奪われて、事実上の強制になってしまう。日弁連の言う通り、れっきとした違法行為です。

でも政府はそれを認めるどころか、さらに脅《おど》しのようなことを言い出しました。

「2024年にはすべてマイナ保険証だ。紙の保険証は廃止後1年間は使えます。どうしても嫌なら健保組合などに資格確認書を発行してもらうこともできるけど、その場合自動更新はなしで、受診料はマイナ保険証より高くしますよ」

②医師や病院が追い詰められる

マイナ保険証の事実上の強制は、違法なだけではありません。

実は日弁連が反対声明を出す半年も前に、医師や病院からは「勘弁してくれ！」という声が出ていたのです。

２０２２年6月、政府は閣議決定した「骨太の方針２０２２」を踏まえ、全国の医療機関に、マイナンバーカードを端末にかざすと保険証の資格確認ができる「オンライン資格確認システム」の２０２３年4月までの導入を原則義務化しました。

ところが、前述したように、このシステムには不具合が多く導入費用も高いため、導入に多くの医師たちが猛反対。

カードを読み取れなければ、患者は保険が使えず、最悪の場合、その場で10割の窓口負担を払うことになってしまいます。そしてまた、カードリーダーは国から支給されるものの、小さいクリニックほど、**システムを使うために従業員が受けるトレーニングの時間と費用といった高額なランニングコスト**が負担になってしまう。

しかもやりたい放題の政府は、「期限内に導入しなければ、医療機関の資格停止もあるかも」と、またもや脅し。

「資格停止だぞ！」ではなく「かもよ……？」とちらつかせるところが、なんとも反社会的です。

「もう廃業するしかない」と泣き声を上げるクリニックも少なくありません。

埼玉県保険医協会の渡部義弘副理事長は、医療機関を追い詰める政府のやり方に怒りをにじませ、県民に必死でこう訴えました。

「このままでは、地域医療が崩壊する恐れがあると知ってほしい」

③なくしたときの責任は誰にあるの？

病院内でマイナンバーカードを使うと、別の問題も出てきます。

ちょうどこのニュースが出た頃、家族が入院していたある病院で、こんなことがありました。

病院内のコンビニでコピー機を開けたところ、誰かが置き忘れた健康保険証があったのです。急いで窓口に届けると、受付の女性は驚きもせず、「よくあるんですよ」と苦笑していました。

想像してみてください。

もしこれが、銀行口座や年金や運転免許証や学校の成績や、あらゆる個人情報と紐づけられるマイナンバーカードだったら？　なくした場合の被害は比になりません。

「院内でカードを紛失された場合、いったい誰の責任になるのか？」

２０２３年４月の保団連（全国保険医団体連合会）調査では、全国の介護施設・高齢者施設の59％が保険証廃止に反対、94％が「入居者のカードを管理できない」として懸念《けねん》を表明しています。

認知症患者の意思確認ができないことや、カード・暗証番号をなくしたときの責任が重すぎるとのこと。ＡＴＭも使えない患者や家族と疎遠な方など、どうすればよいのでしょう？

④実はデジタルより紙のほうが便利です

「マイナンバーカードと統合してデジタル化すれば便利になります」と政府は言います。

でも本当にそうでしょうか？

みなさんは、今の紙の保険証、不便ですか？

拙著『デジタル・ファシズム』にも書きましたが、私たちの国は、自然災害大国です。

しょっちゅう起きる地震に、台風、ゲリラ豪雨……。災害時に停電して通信が遮断されたら、マイナ保険証は使えません。

ある医師はこう言いました。

「マイナ保険証は患者の同意がなければ勝手に確認できない。紙の保険証をなくすというが、ご本人の意識がない状態で、病院側はどうすりゃいいんですかね？」

時代遅れだ、アナログだと批判されているけれど、飲んでいる薬や持病が把握できる「紙のお薬手帳」が活躍している現実を考えると、なんでもデジタル化すればいいわけではないようです。

災害時に限らず、**マイナ保険証を使うには4桁の暗証番号が必要**ですから、覚えていられない認知症患者や高齢患者、寝たきりの患者などは困ってしまいます。

そうした人々の中には、忘れないようにカードにマジックで暗証番号をメモする方もいるようですが、あっという間に犯罪に使われてしまうでしょう。

紙の保険証と違い、老人ホームや介護施設の職員にマイナンバーカードと暗証番号をセットで預けるわけにもいきません。

紙の保険証なら更新されたときに自動的に家に郵送してくれますが、マイナンバーカードは本人が市区町村窓口で再発行手続きをしなければならず、これも高齢者や要介護の方々、障害のある人たちには大きな負担になってしまうでしょう。

コロナ禍でマスクマップを作ったことで世界的に有名になった、台湾のオードリー・タンデジタル担当大臣に、デジタルの制度設計をうまく生かせる秘訣《ひけつ》を聞いたときのことを思い出します。

そのときの回答を、今の政府にそのまま聞かせましょう。

「なぜそんな当たり前のことを聞くのか？」というように一瞬微笑《ほほえ》んだ後、彼女はこう言ったのでした。

「簡単ですよ。社会の中で、一番システムを使いづらい人たちに合わせて作ればいいんです」

⑤QRコード丸見え、セキュリティがザル

はい、いよいよ老若男女全員が心配するポイントです。

一体全体、セキュリティは大丈夫なのか？

この制度が導入されたとき、私たちの個人情報を守るために、総務省はわざわざカード

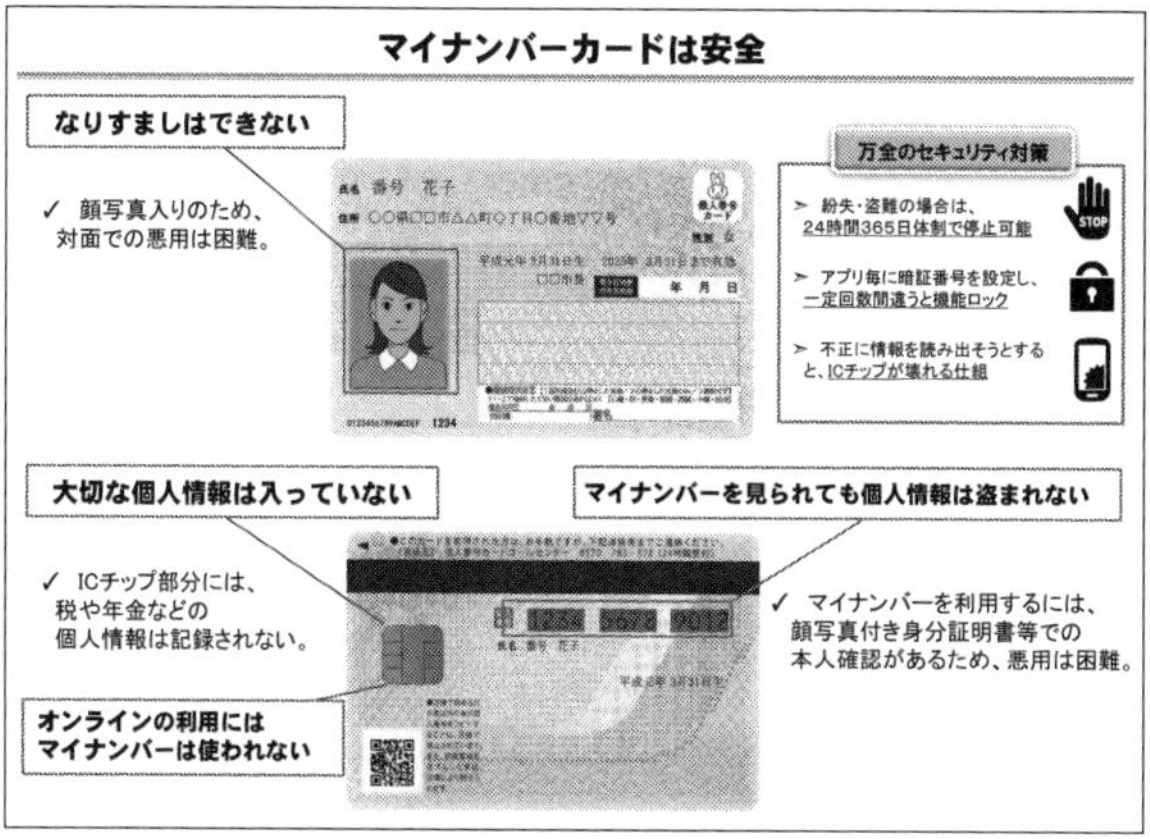

（出典：総務省「マイナンバーカード新時代」）

と一緒に情報セキュリティ対策用のアイテムをつけてくれました。

　カードを入れると、個人番号や性別、臓器提供情報などが目隠しされるよう、入念にデザインされた、ビニール製の専用カードケースです。

　これなら持ち歩いても、肝心な情報が盗まれる心配はありませんよ、という政府の優しい配慮でした。

　ですが残念なことに、国民からはすぐに悲しみの声が上がったのです。

「ＱＲコードが丸見えなんですが……」

　そう、カード裏面についている、**個人番号が含まれるＱＲコードのほうは無防備**でした。中国で、前の人のスマホ画面のＱＲコードを肩越しに自分のスマホカメラで撮影して盗む犯罪が多発して問題になった、あれですね。個人情報保護委員会は、慌《あわ》ててＱＲコードを他人に見せないよう、以下のような注意喚起を出しました。

「インターネット等に自らのマイナンバーカードを、裏面のＱＲコードが見られる状態で掲載することは、……これを見た他人がスマートフォン等で読み取ることで、容易にマイナンバー（個人番号）を知られてしまうおそれがあります」

政府が親切に作って配布してくれた「頭隠して尻隠さず」の特製ケースのおかげで、ＱＲコードは隠さなければならないことがわかりました。

ならば持ち歩くのは危ないのでは？

国民の間に広がった不安を一蹴《いっしゅう》してくれたのは、一日も早くマイナンバーカードを全国民に持ち歩かせることに全力を注ぐ、河野太郎デジタル大臣でした。自分の公式サイトに、マイナンバーについてのＱ＆Ａを掲載したのです。

「Ｑ　マイナンバーを人に見られても大丈夫なのですか。

Ａ　大丈夫です。

マイナンバーだけ、あるいは名前とマイナンバーだけでは情報を引き出したり、悪用することはできません。
マイナンバーを使う手続きでは、顔写真で本人認証することが義務化されています。
オンラインで利用する時にも、ＩＣチップに入っている電子証明書を利用するので、マイナンバーは使われません。
マイナンバーはそれだけではなにかできるものではありません」

（河野太郎公式サイトより）

そして、（健康保険証や運転免許証や年金カードなどと一体化した身分証明書になる）**マイナンバーカードを使うことで便利になるサービスが増えていく**ので、カードは持ち歩きましょう！　と奨励《しょうれい》しています。

大臣、ありがとう。これなら安心して持ち歩けます！

……いやいや、本当にそうでしょうか？

⑥海外では問題だらけ——アメリカ政府が「カードは持ち歩くな」と警告

デジタル化に関して中国と熾烈な競争を繰り広げているアメリカではどうなっているので

アメリカの社会保障番号カード「絶対に持ち歩かないでください」と注意喚起されている（著者の知人のもの）

しょう？

アメリカには社会保障番号という一生変わらない個人番号があるのですが、まず絶対にカードは持ち歩きません。私が住んでいたときも、「カードは金庫の中だよ」という同僚が何人もいたのを覚えています。

社会保障番号が書かれたカード自体にも、「DO NOT CARRY IT WITH YOU.（絶対に持ち歩かないでください）」と、わざわざ注意喚起が印刷されています。

いったいなぜでしょう？

ズバリ、なりすまし被害が多すぎるのです。

２０１５年５月には、番号を盗んだ犯人が本人になりすまして確定申告を行い、１万３０００人分の還付金を手に入れるという事件が起きました。

他にも、他人の番号でクレジットカードを作ったり不動産ローンを組んだり、銀行口座を開いたりと、似たような犯罪が後をたちません。

その1か月後に起きた事件はさらに深刻でした。

中国系ハッカーの攻撃により、**人事管理局から政府職員２１５０万人分の個人情報が漏《ろう》洩《えい》した**のです。

番号のみならず薬物使用歴や外国への渡航歴など、スキャンダルネタになる機密情報が満載ですから、政治的に利用できるでしょう。

２０１７年には、消費者の信用度を計算する信用調査会社大手エキファックスが大規模なハッキング攻撃に遭《あ》い、１億４５００万人分の番号が個人情報とともに漏洩してしまった事件がありました。

流出したのは、名前と住所と生年月日、運転免許証番号と社会保障番号、そして20万9０００件にものぼるクレジットカード番号です。一生変わらない個人番号は強固な身分証明になり高い値段がつきますから、あっという間に闇市場で売買されてしまいます。

アメリカ政府は番号が盗まれた人たちに向かって、「今後何年にもわたって犯罪被害に遭うリスクがあるので油断しないように」「1年間はエキファックスが提供する『なりすまし犯罪保険』を使い、２年目からは自腹で保険を更新しなさい」などの注意を呼びかけていました。

パンデミックのようなショックで、国民が思考停止になっているときは、こうした犯罪が起きやすくなります。

コロナ禍のアメリカでも、やはり個人番号関連の犯罪は一気に増えました。

連邦取引委員会（ＦＴＣ）によると、２０２０年、ニューヨーク州では個人情報盗難事件が急増し、ＩＤを盗撮されたという苦情が6万７０００件を超え、被害総額はなんと10年前の4倍以上。約2万５０００人のニューヨーカーが個人番号を盗まれ、勝手にクレジットカードや銀行口座を作られてしまったのでした。

「利便性と引き換えに、一生変わらない個人番号がもたらす被害は大きすぎる」として、見直しを求める声が高まっているのです。

3　日本人が知らない世界のマイナンバー事情

カード発行は簡単になりすましできる

セキュリティの話に戻ります。

「マイナンバーはそれだけではなにかできるものではありません」

本当でしょうか？

２０１７年11月。江戸川区で、外国で亡くなった知人男性になりすましてマイナンバーカードを作った男性が捕まりました。この犯人はまず、亡くなった知人から預かっていた年金手帳とキャッシュカード、マイナンバーを盗むと、知人の住民票の住所を自分の家に変更してから役所にマイナンバーカードの申請書類を提出しました。

そして自宅に届いた書類に知人のマイナンバーを使って自分の顔写真を添《そ》えて申請し、**カードを受け取った後は本人になりすましてしばらく年金を受給していた**のです。

２０１９年には、偽造したマイナンバーカードで銀行口座を開設した事件もありました。

なりすましは簡単にできないどころか、現実には、年々ますます巧妙かつ悪質になってきています。

２０２３年３月には、在日ベトナム人が闇バイトで雇ったベトナム人にマイナンバーカードを複数枚偽造させ、その偽造マイナンバーカードで健康保険証を何枚も偽造し、偽造マイナンバーカードと偽造健康保険証の２つを身分証明書にして、スマホ用ＳＩＭカードを大量に不正購入しようとしたという事件がありました。

つまりカード番号と住所、氏名があれば、本人になりすましてカードの発行ができてしまうのです。受け取る際の本人確認書類は顔写真のついていない学生証や社員証、年金手帳などがあればいいので、そう難しくありません。

運転免許証も偽造できる時代ですから、学生証や社員証など簡単に作られてしまうでしょう。一度なりすましで作られてしまったら、**勝手にローンを組まれたり口座を作られたり、犯罪被害に遭う危険がある**のです。

２０２３年４月には、大阪府警が窃盗で逮捕した17歳のタイ人の少女が、別の日本人女性のマイナンバーカードでなりすましていた事件が起きました。このとき警察は顔写真入りカードを見ても虚偽申告に気づかず、弁護士に指摘されて初めて発覚したのでした。

カードの持ち主は被害届を出していましたが、このようにもし気づかれないままだった場合、本人の知らない間に前科がついてしまっていたかもしれません。

河野大臣はまた、オンラインでも安全だと言います。

「オンラインで利用する時にも、ＩＣチップに入っている電子証明書を利用するので、マイナンバーは使われません」（河野太郎公式サイトより）

２０２０年７月。他人になりすまして特別定額給付金をオンライン申請し、不正に40万円を受け取った疑いの詐欺事件が起きています。

また、マイナンバーカードと暗証番号さえあれば、その人のさまざまな情報が入ったマイナポータルというサイトに誰でもアクセスできてしまいますが、88～91ページの表を見ると、どれだけたくさんの情報が入っているかわかります。

つまりマイナポータルは、デジタルビジネスのみならず、犯罪にも使える個人情報の宝の山なのです。

大切なデータこそ分散させる

河野大臣は「顔写真と一緒に使われるから、簡単に悪用されないので大丈夫！」と言い

マイナポータルの自己情報取得APIで取得できるようになる特定個人情報の一覧

No.	分野名	分野詳細名	自己情報番号	情報の内容
1	世帯情報	世帯情報	1	住民基本台帳法第七条第四号に規定する事項
2	税	地方税	2	地方税法その他の地方税に関する法律に基づく条例の規定により算定した税額若しくはその算定の基礎となる事項に関する情報
3	社会保障（健康・医療）	医療保険	3-1	学校保健安全法による医療に要する費用についての援助に関する情報
			3-2	医療保険各法又は高齢者の医療の確保に関する法律による医療に関する給付の支給又は保険料の徴収に関する情報
			3-3	船員保険法による保険給付の支給に関する情報
		予防接種	3-4	予防接種法による予防接種の実施に関する情報
		健康・医療その他	3-5	国民健康保険法第五十六条第一項に規定する他の法令による給付の支給に関する情報
			3-6	健康保険法第五十五条に規定する他の法令による給付の支給に関する情報
			3-7	健康保険法第百二十八条に規定する他の法令による給付の支給に関する情報
			3-8	高齢者の医療の確保に関する法律第五十七条第一項に規定する他の法令による給付の支給に関する情報
			3-9	障害者の日常生活及び社会生活を総合的に支援するための法律第七条に規定する他の法令により行われる給付の支給に関する情報
			3-10	児童福祉法第二十一条の五の三十に規定する他の法令による給付の支給に関する情報
			3-11	児童福祉法第二十四条の二十二に規定する他の法令による給付の支給に関する情報
			3-12	雇用保険法第三十七条第八項に規定する他の法令による給付の支給に関する情報
			3-13	船員保険法第三十三条に規定する他の法令による給付の支給に関する情報
			3-14	介護保険法第二十条に規定する他の法令による給付の支給に関する情報
			3-15	精神保健及び精神障害者福祉に関する法律第三十条の二に規定する他の法律による医療に関する給付の支給に関する情報

No.	分野名	分野詳細名	自己情報番号	情報の内容
3	社会保障（健康・医療）	健康・医療その他	3-16	感染症の予防及び感染症の患者に対する医療に関する法律第三十九条第一項に規定する他の法律による医療に関する給付の支給に関する情報
			3-17	医療保険各法その他の法令による医療に関する給付の支給に関する情報
			3-18	児童福祉法第十九条の七に規定する他の法令による給付の支給に関する情報
			3-19	難病の患者に対する医療等に関する法律による特定医療費の支給に関する情報
			3-20	難病の患者に対する医療等に関する法律第十二条に規定する他の法令による給付の支給に関する情報
4	社会保障（子ども・子育て）	子ども・子育て支援	4-1	児童手当法による児童手当若しくは特例給付の支給に関する情報
		母子家庭等関係	4-2	児童扶養手当法による児童扶養手当の支給に関する情報
			4-3	母子及び父子並びに寡婦福祉法による給付金の支給に関する情報
			4-4	児童福祉法による母子生活支援施設における保護の実施に関する情報
			4-5	母子及び父子並びに寡婦福祉法による資金の貸付けに関する情報
		母子保健	4-6	母子保健法による養育医療の給付又は養育医療に要する費用の支給に関する情報
			4-7	母子保健法による妊娠の届出に関する情報
		教育・就学支援	4-8	高等学校等就学支援金の支給に関する法律による就学支援金の支給に関する情報
			4-9	特別支援学校への就学奨励に関する法律による特別支援学校への就学のため必要な経費の支弁に関する情報
		子ども・子育てその他	4-10	児童福祉法による小児慢性特定疾病医療費、療育の給付若しくは障害児入所給付費の支給に関する情報
			4-11	児童福祉法による障害児入所支援、小児慢性特定疾病医療費の支給若しくは措置（同法第二十七条第一項第三号又は第二項の措置をいう。）に関する情報

No.	分野名	分野詳細名	自己情報番号	情報の内容
5	社会保障（福祉・介護）	障害保健福祉	5-1	障害者の日常生活及び社会生活を総合的に支援するための法律による自立支援給付の支給に関する情報
			5-2	障害者の日常生活及び社会生活を総合的に支援するための法律による療養介護若しくは施設入所支援に関する情報
			5-3	児童福祉法による障害児通所支援に関する情報
			5-4	身体障害者福祉法による身体障害者手帳、精神保健及び精神障害者福祉に関する法律による精神障害者保健福祉手帳若しくは知的障害者福祉法にいう知的障害者に関する情報
			5-5	児童福祉法による障害児入所支援若しくは措置（同法第二十七条第一項第三号の措置をいう。）に関する情報
			5-6	児童福祉法による障害児入所支援、措置（同法第二十七条第一項第三号若しくは第二項又は第二十七条の二第一項の措置をいう。）若しくは日常生活上の援助及び生活指導並びに就業の支援の実施に関する情報
			5-7	特別児童扶養手当等の支給に関する法律による特別児童扶養手当の支給に関する情報
			5-8	特別児童扶養手当等の支給に関する法律による障害児福祉手当若しくは特別障害者手当又は昭和六十年法律第三十四号附則第九十七条第一項の福祉手当の支給に関する情報
		生活保護・福祉一般	5-9	生活保護法による保護の実施若しくは就労自立給付金若しくは進学準備給付金の支給に関する情報
			5-10	年金生活者支援給付金の支給に関する法律による年金生活者支援給付金の支給に関する情報
		中国残留邦人等支援	5-11	中国残留邦人等支援給付等の支給に関する情報
			5-12	中国残留邦人等の円滑な帰国の促進並びに永住帰国した中国残留邦人等及び特定配偶者の自立の支援に関する法律による永住帰国旅費、自立支度金、一時金、一時帰国旅費又は中国残留邦人等支援給付等の支給に関する情報
		介護・高齢者福祉	5-13	介護保険法による保険給付の支給、地域支援事業の実施若しくは保険料の徴収に関する情報

No.	分野名	分野詳細名	自己情報番号	情報の内容
6	社会保険（雇用・労働）	雇用	6-1	雇用保険法による給付の支給に関する情報
			6-2	雇用保険法による教育訓練給付金の支給に関する情報
			6-3	雇用保険法による基本手当若しくは高年齢雇用継続基本給付金の支給に関する情報
			6-4	職業訓練の実施等による特定求職者の就職の支援に関する法律による職業訓練受講給付金の支給に関する情報
		労災補償	6-5	労働者災害補償保険法による給付の支給に関する情報
			6-6	地方公務員災害補償法による公務上の災害又は通勤による災害に対する補償に関する情報
7	社会保険（年金）	年金・日本年金機構関係	7-1	児童扶養手当法第三条第二項に規定する公的年金給付の支給に関する情報
			7-2	特別児童扶養手当等の支給に関する法律その他の法令による障害を有する者に対する手当の支給に関する情報
			7-3	国民年金法その他の法令による給付の支給に関する情報
			7-4	国民年金法その他の法令による年金である給付の支給に関する情報
			7-5	昭和六十年法律第三十四号附則第九十七条第二項において準用する特別児童扶養手当等の支給に関する法律第十七条第一号の障害を支給事由とする給付の支給に関する情報
			7-6	国民年金法又は被用者年金各法による年金である給付の支給又は保険料の徴収に関する情報
			7-7	国民年金法による障害基礎年金の支給に関する情報
			7-8	特定障害者に対する特別障害給付金の支給に関する法律による特別障害給付金の支給に関する情報
			7-9	特別児童扶養手当等の支給に関する法律その他の法令による給付の支給に関する情報

（出典：首相官邸「マイナポータルで提供可能なAPI機能について」）

ますが、オンライン申請では顔写真は必要ありません。

Ｑ＆Ａにある、河野大臣のアドバイスをもう一度見てみましょう。

「万が一、マイナンバーカードを落としたり、盗まれたりした時でも、24時間３６５日、フリーダイヤルで利用を一時停止することができます。（０１２０-９５-０１７８）

暗証番号の入力は一定回数以上間違えると、ロックされてしまいます。

ＩＣチップから不正に情報を読み出そうとすると、ＩＣチップが壊れて、読み出せなくなります。

暗証番号の取扱には気をつけて、他人に教えたりすることがないようにしてください」

（河野太郎公式サイトより）

教えないようにと言ったって、寝たきりの人や認知症の人は教えるしかありません。実際、河野大臣は、寝たきりの人は介護士に暗証番号を預けましょうなどと発言して炎上していましたが、もはや意味不明です。

小中学校の合宿で、親に健康保険証のコピーを持たされることがありますが、ＩＣチップの入った現物を持たせて紛失したら、学校が責任をとるのでしょうか？

そしてまた、過去の事件の数々を見ると、**通常なりすまし被害に遭った本人は、たいて**

いしばらくの間気がつかないので、無料コールセンターに電話する頃にはおそらく間に合わないでしょう。

百歩譲って凍結できたとしても、健康保険証や運転免許証をはじめ、今後あらゆるものと一体化されるマイナンバーカードを止めてしまったら、ただちに日常生活に支障が出てしまいます。

それでも、健康保険証や運転免許証などと次々に一体化されていくことで、信頼できる唯一の写真付き身分証明書になる、ゆくゆくはマイナンバーカード一枚持ち歩けば、すべてに対応できるようになる！　と河野大臣は力説します。

たしかに、どこでも使える顔写真付きの身分証明書が一枚で済むなら便利でしょう。

でも、考えてみてください。

ＩＴの専門家でない私たちでも、大事なデータを守る最大の対策は、ちょっと考えれば想像できますよね？

そう、１か所にまとめないことです！

通帳と実印と印鑑登録証明書などを同じ引き出しに入れないように、デジタル時代の個人情報も、リスク管理の要《かなめ》は、とにかくまず分散です。

だからこそ他の先進国では、国民の個人情報が1か所で閲覧《えつらん》できないように気をつけているのです。

マイナンバーカードも、持ち歩いていい情報と、家の外に出さないほうがいい重要情報とが分かれていればいいのですが、すべて1か所に入れてしまったことが、なんとも乱暴な設計です。安心ですなどと豪語して押しつける前に、たとえばマイナ保険証について、まず現場の医療関係者の話を聞くべきでしょう。

マスクしても識別できる顔認証、日本は規制なし

また、マスクをしていても識別できるという顔認証技術も、アメリカでは大問題になっています。

２０２０年1月。ニューヨーク・タイムズが、クリアビューＡＩという企業が開発した、30億枚の画像を含む大規模な顔認証アプリが、ＦＢＩ（連邦捜査局）やＮＳＡ（アメリカ国家安全保障局）、地方の警察など数百の政府機関に使われていたことをスクープ。これを問題視したプライバシー監視団体が、政府に顔認証技術の禁止を要求しました。

さらに、アメリカ自由人権協会（ＡＣＬＵ）は、Amazonが複数の州警察に販売して

いる顔認証技術に国会議員らの写真を入力したところ、28人が間違って犯罪者に認定されたとして、政府機関や警察の顔認証技術導入に反対しています。

これについては、同社株主からもジェフ・ベゾスＣＥＯに「やめるべきだ」との要望書が送られました。

２０２０年にはテック大手のＩＢＭが、顔認証技術開発からの撤退を発表。サンフランシスコ市をはじめ、顔認証制度自体を禁止する自治体が相次いでいます。

顔認証システムのミスで犯人と間違えられたら、たまったものではありません。

２００１年の９・11テロは、多くの国によって自国内に監視システムを入れるショック・ドクトリンに利用されました。

なかでも３００万台を超える監視カメラを導入したイギリスの誤認証率はぶっちぎりトップ、ロンドン警視庁の監視カメラはなんと98%の確率で、あなたを犯罪容疑者に認定してくれます。

ここまでくるともはやブラックジョーク、**国民への萎縮効果以外に、なんのための顔認証技術なのか**わかりません。

一方、顔認証システム開発で定評があるのが、この技術で14億人の自国民を管理している中国です。

新型コロナパンデミックの際は、国中に張り巡らせたデジタル監視網とスマホの顔認証で、感染者の抑え込みをして注目されました。

信号無視したり、パジャマで外出（中国では違法）すると、即座に顔が認識されて巨大スクリーンに表示されます。その場で罰金が銀行口座から引き落とされ、社会的信用スコアも下げられるという流れはスピーディで違反者を逃しません。

アメリカでは、バックドアが仕込まれていたり認証データの盗難リスクがあるとして、政府が中国製の監視カメラや顔認証技術を排除する方向で動いていますが、日本ではさまざまな場所に参入してきています。

２０２２年10月。日本国内で本格的な事業展開戦略を発表したのは、特殊なＡＩ機能を搭載した監視カメラをはじめ、指紋や顔の生体認証によるデータ収集システムを手がける世界2位のセキュリティ企業、中国のダーファ・テクノロジーでした。

２０２３年4月。イラン警察は**ヒジャブを正しく着用していない女性を処罰するために公共の場所に顔認証カメラを設置**、特定されるとすぐに携帯に当局からの警告メッセージが届きます。

「便利な顔認証の何が悪いの？」という声がありますが、問題は技術ではなく、誰が、どう使うかであることに注意してください。

そう、新しい技術は、私たちが安心して使うためのルールとセットにすればよいのです。

日弁連が２０２１年に出した意見書のルールリスト（①同意なしのデータベース作成禁止、②例外で利用するときのルール、③個人情報保護委員会のチェック、④システムの情報公開など）を参考に、政府や自治体に入れてもらいましょう。

マイナンバー制度は外国では「当たり前」じゃない

政府は何かにつけてこう言います。

「マイナンバー制度は外国では常識。日本は遅れているんです」

でも本当にそうでしょうか？

実は国によって違います。たとえばアメリカやカナダには共通番号制度はありますが、取得するかどうかは個人の自由。日本のように健康保険証を廃止し、選択肢を取り上げて強制などしたら大問題になるでしょう。

ヨーロッパはどうでしょう？

ナチスによる犯罪の歴史を持つドイツでは、その教訓から人に共通の番号をつけるのは憲法違反とされ、マイナンバー制度は導入していません。

フランスでは、ドイツ占領下時代に社会保障番号を導入しましたが、政府の方針として、「その番号をいろいろなことには使わない」と明確に規定しています。

北朝鮮のスパイ対策で、半世紀も前から住民登録番号という個人番号制度を導入しているお隣の韓国では、早くからクレジットカードとの紐づけがされており、買い物の中身はおろか、個人の政治的思想まで、何もかも政府に筒抜けです。紐づけ情報が多い分犯罪も多く、２０１４年には**中国からのハッキングで国民の7割の個人情報が流出していた**ことが発覚、当時の朴槿恵《パククネ》大統領の個人番号まで入っていたことで大騒ぎになりました。

同年１月にも１億４００万件分の情報が流出。結局過去10年で17歳以上の10人中４人がカードをなくし、その再発行にかかった費用は１０００億ウォン（約１００億円）、深刻な社会問題になっています。

先に個人番号を始めた国々はあれど、漏洩防止が徹底できずに廃止したり、一元化や口座紐づけを外すなど、試行錯誤、あるいは後退しているところも少なくありません。

日本のような、年金の受け取り口座や銀行口座、健康保険証に運転免許証、買い物に学

マイナンバー　世界各国の状況

	国名	状況
共通番号あり	アメリカ	1936年に社会保障番号を導入。 なりすまし被害年間1270万人(2014年)。日本のような機能のマイナンバーは導入されていない。 ※カード作成は任意。
共通番号あり	カナダ	社会保障番号はあるが、政府プログラム以外で使えないようにするためのプライバシー委員会がある。 ※カード作成は任意。
共通番号あり	オランダ	各政府機関共通仕様の市民サービス番号あり。 ※カードは発行していない。
共通番号あり	オーストリア	国民登録番号あり。ただし漏洩防止のために管理・運用が3層になっている。
共通番号あり	シンガポール	2003年より共通個人認証番号。
共通番号あり	韓国	1962年に住民登録番号を導入。あらゆる個人情報と紐づけられている(日本のマイナンバーに最も近い)。
共通番号あり	スウェーデン	個人番号制が浸透。
共通番号あり	エストニア	ICチップ付き国民IDカードあり。ほとんどの公共サービスに使える。
共通番号なし	ドイツ	納税者番号はあるが共通番号制度はない。プライバシーへの懸念から、一元化された個人番号制度は違法。行政分野ごとに複数の番号を管理。データ保護観察官が番号の取り扱いをチェックしている。
共通番号なし	イギリス	2006年にIDカード法が成立するも、プライバシーへの懸念から政権交代時に廃止。
共通番号なし	フランス	社会保障番号あり。共通番号制度はない。
共通番号なし	イタリア	納税者番号と住民カードあり。共通番号制度はない。
共通番号なし	オーストラリア	税・医療など分野別の番号があるがセキュリティへの配慮からカード発行はなし。マイナンバーのような共通番号制度はない。

校の成績に母子手帳……など、ここまで多岐にわたる情報を1か所にまとめる個人番号カードを、ザル制度のまま一気に義務化しようとしている国は珍しいでしょう。

水道民営化にしてもキャッシュレスにしてもですが、どうも日本は、諸外国が試してみた後で、うまくいかなくなって撤退する頃に「さあ追いつけ追い越せ！」と諸手《もろて》を挙げて参入する傾向があるようです。

なんでも欧米に追いつく必要はありませんが、やるなら丸ごと導入するのでなく、先に導入した国々の失敗事例を研究し、同じ轍《てつ》を踏まぬようにすべきでしょう。

実際、**デンマークにアメリカ、イギリス、オーストラリア、台湾**など、日本のような大量の個人情報をまとめた形の個人番号なしでも、ちゃんと社会のデジタル化を進めている国々はあるのですから。

個人番号制度に詳《くわ》しい情報システム学会の八木晃二常務理事（『超ＩＤ社会』著者）は、特殊な日本のマイナンバーカードについて、こんな表現をしています。

「銀行通帳、銀行印、運転免許証、保険証が入った手提げ金庫の外側には、氏名、誕生日、マイナンバーが貼ってある。金庫は4桁数字のみで解錠可能、つまりこれを常に持ち歩く発想に近いのがなんとも……」

日本のマイナンバー情報はすでに何回も漏れてます

実は今これを書いている時点で、日本の行政機関からのマイナンバー情報流出事故は、とっくに何回も起きてしまっています。

2015年6月に、日本年金機構が中国語圏から不正アクセスを受け、125万人分の年金情報が漏洩した事件を覚えていますか？

攻撃元を分析したところ中国政府系ハッカーの犯行である可能性が高く、しかもすでに手元にある日本人の個人データの「更新」でした。この事件の後、年金機構は情報流出した125万人の基礎年金番号をすぐに変更し、厚労省には情報セキュリティ予算62億円を計上させたりと再発防止対策を実行しました。

漏洩したのが変更可能な年金番号で、さらに年金機構1か所で管理されていたからできた対応でしたが、これがもし市区町村や企業にまで多岐にわたって使われる変更不能なマイナンバーだったら、大変なことになっていたはず……。

などと思っていたら年金機構は次に、あろうことかそのマイナンバーで新たな事件を引き起こしたのです。

２０１８年。同機構が５００万人分のマイナンバー入力業務を委託した外部業者が、その作業を中国の企業に再委託していたことが発覚し、大問題になったのでした。

個人情報保護委員会によると、２０１７年度から２０２１年度までの５年間で少なくとも３万５０００人分のマイナンバーが漏洩しているのです。

私たちの大事な個人情報を気軽に外部に再委託するなんて！　と思いますが、危機意識が薄いのは年金機構だけではありません。

年金情報の漏洩事件があった後も、国税庁や自治体では違法な再委託により４００万件以上の納税情報が流出。２０１９年には**神奈川県庁で住民の個人情報が入ったハードディスクが盗まれて売られる**という事件まで起きています。

どう考えても、マイナンバーを扱う怖さを政府がわかっているとは思えません。

いや、一つだけ例外がありました。

実はほとんどの国民に知られていませんが、政府内部には、この危険を早くから察知して、導入拒否した人々がいたのです。

国家公安委員長が「マイナ身分証は危ないからやめてくれ！」

政府はマイナンバー制度を施行した2016年から、霞が関の中央省庁で、公務員の身分証明書とマイナンバーカードを一体化させた「マイナ身分証」をいち早く導入させていました。

ところがこれに危険を感じたのが、防衛省に外務省、警察庁に内閣官房に公安調査庁の5省庁。すぐに反対文書を連名で作成して政府に直訴し、これらの省庁はマイナ身分証の導入をしなかったのです。

2022年11月。これについて国会で問われた谷公一国家公安委員長はこう答えました。

「マイナポータルにアクセスすれば閲覧できる個人情報を一括して盗まれ、職員個人への不正な働きかけに利用される可能性があり、最悪の場合、秘密情報の流出につながるので見送りました」

身内から出た異例の直訴でしたが、河野太郎デジタル大臣はひるまずこうコメント。

「すべての国家公務員がマイナ身分証を使うことが決まってますので、民間企業でもぜひぜひ使ってほしいと思っています」

公安トップが即座に警戒した、マイナポータルから情報が一括で盗まれ悪用されるリスクは、私たち民間人にとっても同じではないでしょうか？

しかし奇妙なことに、「顔写真付きの最も信頼できる身分証明書」として半ば強制的に公務員に利用させ、「民間にもぜひぜひ！」と大臣が推すこの「顔写真付きの最も信頼できる便利な身分証明書」というメリットは、その後政府自らの手で、ひっそりと撤回されたのです。

> 「デジタル庁は、マイナンバーカードに記載している住所と性別、12桁の個人番号（マイナンバー）について、削除する方向で検討する。いずれもカードのICチップに記録されており、プライバシー保護や防犯上の観点から、記載は不要との意見が出ている」（2023年2月18日　読売新聞）

何も書いていないカードなら、便利な顔写真付き身分証明書にはなりません。

ではいったいなんのために、全国民にカードを作らせるのでしょう？

谷公安委員長の発言の中に、そのヒントが隠されています。

「社会のデジタル化」の先にある真の目的は？

実は政府が目標にしているのは、マイナンバーカードそのものではありません。

ショック・ドクトリンを読み解くポイントの一つは、「歴史を見る」です。

時計の針を数年、巻き戻してみましょう。

新型コロナパンデミックというショックの下で、**ろくな審議もないままにスピード可決されたデジタル関連法案**を思い出してください。

①マイナンバーに紐づける情報を、健康保険証、運転免許証、母子手帳、公務員の庁舎等への入館証、学校の成績……と、どんどん広げていく

②それらの情報をすべて、政府が管理するサイト「マイナポータル」に集めていく

③マイナンバー自体の利用範囲を拡大するには、いちいち国会で話し合って法律を変えなければならないが、（といっても閣議決定でサクサクですが……）ひとたびマイナポータルに入ってしまえば、その使い方は国会を通さなくても変更できる。政府だけでなく民間もOK

④個人データが盗まれるなどしても自己責任、デジタル庁は責任をとらない（マイナポータル利用規約第3条。マイナポータルのトップ画面の一番下にある利用規約をクリックして読んでみてください）

⑤既往歴に飲んでいる薬の種類、年金額に納税状況、銀行口座に、母子手帳に学校の成

績、介護レベル……マイナポータルは民間サービスと連携していくので、生活の中でいろいろなサービスを使うたびに、紐づけられる情報は増えていく

⑥財界が喉《のど》から手が出るほど欲しがっていた、国民の個人情報パッケージが完成

そもそも住基ネットの進化版であるマイナンバーは、国が国民の所得を正確に把握し、公正な税の徴収をする名目で導入されたものでした。

その後、「社会のデジタル化のため」として、利用分野や紐づけされるサービスがどんどん拡大し、新型コロナパンデミックというショックの下で、「速やかに給付金を受け取るために必須」だと言われ（実際は給付金の遅れは、間に余分なお友達企業を入れたことが主な原因でした）、任意のはずがいつの間にか義務化されています。

ショック・ドクトリンの開発者であるシカゴ大学のミルトン・フリードマン教授によると、この手法を成功させる最大のコツとは、**国民がショックによる思考停止から我に返る前に、スピーディに社会を作り変えてしまう**こと。

だからこそ、今を生きる私たちは気をつけなければなりません。

なぜなら、デジタル時代のショック・ドクトリンは、立ち止まって自分の頭で考えて、

その危険を回避する隙もないほどに高速になっているからです。

アメリカメディアに「そのスピードと行動力で日本のデジタル化を進める男」などと絶賛されている河野大臣は、今後ますます速度を上げていくでしょう。

けれど、ことデジタル化に関しては、焦って進めるとろくなことはありません。

なにせ扱われるのは、私たち国民の最大資産である個人情報なのですから。

まずは個人情報の価値とリスクという、一番肝心な部分を軽視している政府関係者一同の危機意識をアップデートさせるのが先。そしてセキュリティ保護を徹底させ、プライバシーを保護するための法と制度作りが必須です。

これなしに「デジタル日本」など成立しないことを、谷国家公安委員長をはじめ我が国のインテリジェンス部門の人々は、ちゃんとわかっていたのです。

4　個人情報がすべて紐づけられた先に

ショック・ドクトリンでは、メディアが揃《そろ》って笛を吹く

カード作成は任意だったはずなのに、問答無用で紙の保険証を廃止して、移行期間の資格証明書は受診料が割高になり、そのインフラを導入しない医療機関には資格剝奪《はくだつ》の脅し。閣議決定を次々に乱発し、銀行口座に運転免許証に年金に学校の成績に母子手帳、ありとあらゆる情報の紐づけ祭りを繰り広げる河野太郎デジタル大臣を、メディアはどう扱っているでしょう？

一部地方紙を除き、河野大臣のこの暴挙を「突破力」などという褒《ほ》め言葉にもなるヘッドラインで表現。おまけに「河野太郎議員は次の有力総理候補」という記事も頻繁に登場し、好感度が高いイメージが振りまかれています。

テレビをつけるとマイナンバーの利便性が強調され、「マイナンバーカードを作らない人は、国に知られたら困ることがあるのでは？」という著名人の声が取り上げられていますが、カード作成や一体化に反発する人たちの大半は、情報を出したくないのではなく、

政府の言うことがコロコロ変わることや、頻繁に起きるデータ流出事故への無策、マイナンバーを扱う役所の危機管理体制のなさなど、不安しかないというのが本音でしょう。

なのに河野大臣は、こうした不安や反発などどこ吹く風、普段からTwitterなどで熱心に発信を続けるかたわら、**反論してくるアカウントは片っ端からブロックするポリシー**を貫いているので、彼の仮想空間は聞きたくない声は一切入らない、快適な環境です。

ぶら下がり会見で記者に聞かれたときは、「理解されるまで（話し合いでなく）広報を頑張ります」と回答すればＯＫ！

そして実際に頑張るのは、デジタル庁から第1弾マイナポイント事業費１３９億７０００万円に続き、この第２弾ＣＭ活動も49億７０００万円で受注した、広告代理店最大手・電通のみなさんです。

思えば初代デジタル大臣が元電通マンの平井卓也衆議院議員だったことも、なんとも奇怪な巡り合わせでしょう。

ショック・ドクトリンが機能するために、絶対欠かせないものの一つ。それは、政府と企業の間をキーパーソンが行き来する「回転ドア」です。

政府と企業の間のお金と人事をチェック

では、マイナンバー事業に関する回転ドアを見てみましょう。

２０１５年に政府からマイナンバー関連事業を受注したのは、この制度を設計した張本人である、内閣官房検討会議「情報連携基盤技術ワーキンググループ」のメンバー企業９社でした。

ＮＴＴデータにＮＥＣ、日立製作所に富士通……自民党に２億４０００万円を寄付しているこの４社は、総務省をはじめ関係省庁の官僚が「回転ドア」をくぐって大量に天下りしている企業でもあるのです。

そもそもマイナンバー制度の基になっているのが、総務省の巨大利権といわれた住基ネット。そう、２０００億円以上の税金を使ったのに問題だらけで全然普及しないまま、いつの間にか終了したあのシステムです。

その**住基ネットの仕組みを開発したのはＮＴＴデータで、住基カードを作ったのは日立製作所**ですから、２０１５年に廃止された住基ネットを基盤にしたマイナンバー事業なら、今さら他社は入れません。

導入初期費用約３０００億円と毎年の維持費３００億円、セキュリティ対策などの関連

マイナンバー受注企業に再就職した国家公務員

	最終官職	再就職日	役職
NTTデータ	経産省大臣官房付	2014/8/25	顧問
	財務省大臣官房付	2013/5/9	外部有識者
	警察大学校長	2011/4/1	顧問
NEC	国交省航空保安大学校研修所長	2015/2/1	主席技師長
	財務省関税局局付	2014/8/1	主席主幹
	経産審議官	2014/6/1	顧問
	公安調査庁調査第一部公安調査管理官	2014/4/1	人事部長付
	総務省情報流通行政局研究官	2014/1/1	顧問
	総務省自治税務局長	2013/10/1	顧問
	警察庁長官官房技術総括審議官	2013/7/1	顧問
	神戸税関総務部部付	2012/8/1	主席主幹
	国交省大臣官房参事官	2012/6/1	参与
	国交省那覇空港事務所長	2012/3/1	主席技師長
	外務省特命全権大使	2012/1/1	顧問
	警視庁本所警察署長	2011/10/1	マネジャー
日立製作所	総務省自治大学校長	2013/9/9	社長付
	金融庁検査局総務課統括検査官	2013/4/1	シルバー所長
	総務省大臣官房付	2012/6/1	社長付
	経産省大臣官房付	2012/12/1	参与
	総務省自治財政局長	2012/11/16	社長付
	経産事務次官	2012/6/22	社外取締役
富士通	総務審議官	2014/10/1	顧問
	外務省イラク復興支援等調整担当大使	2014/6/23	社外取締役
	内閣府審議官（旧自治省出身）	2012/3/1	顧問
	外務省スペイン大使	2011/12/1	顧問
	国交省大臣官房付	2011/12/1	顧問
	総務省近畿管区行政評価局長	2011/10/1	顧問
	国交省新千歳空港事務所長	2011/9/1	本部長付
大和総研	総務事務次官	2013/10/15	顧問
野村総研	警視庁麻布警察署長	2015/4/1	顧問
	総務事務次官	2014/11/1	顧問
	総務審議官	2014/11/1	顧問
	金融庁検査局総務課金融証券検査官	2014/4/1	シニアスタッフ

※アミカケは総務省OB。

出典：日刊ゲンダイDIGITAL「マイナンバー『1兆円利権』山分け 制度設計7社と天下り官僚」2015年10月18日　https://www.nikkan-gendai.com/articles/view/news/166724

政府からマイナンバー関連企業への発注リスト（判明分）

企業名	件	金額	発注元
日立製作所	9	124億円	国税庁、日本年金機構など
富士通	3	27億円	国税庁、法務省
NTTデータ	6	24億円（うち1件未公表）	日本年金機構、総務省など
沖電気工業	1	294万円	内閣官房
大和総研	1	5048万円	総務省
野村総研	1	2億1384万円	日本年金機構
NEC	1	未公表	地方公共団体情報システム機構

出典：しんぶん赤旗「マイナンバー検討委員の企業7社 関連事業の8割を独占 制度設計から関与し178億円受注」2015年10月15日　https://www.jcp.or.jp/akahata/aik15/2015-10-15/2015101515_01_1.html

費用も含めると１兆円の市場規模であるマイナンバー事業。政府の会議に参加した一握りのＩＴ企業にとっては、笑いが止まらないでしょう。

政府はまた、全国１８００超の自治体に、職員の入館証とマイナンバーカードの一体化を強くプッシュしています。これももちろん、受注するのは総務省傘下のＪ－ＬＩＳ。

こうして、住基ネットのお友達企業数社と天下り官僚たちは、マイナンバーカードという新たな巨大利権を見事に引き継いだのでした。

平井卓也初代デジタル大臣の元職場である広告代理店・電通には、２万円のマイナポイントキャンペーンの事務費用から１５０億円の再委託費用、そしてＣＭ制作費（初回24億円＋49億７０００万円＝73億７０００万円）が流れ込みます。

さらにもう1社忘れてはならないのは、小泉政権で経済財政政策担当大臣を務め、その後は政府の有識者会議のメンバーとして各所に登場、今ではデジタル関連で、直接政府に政策提言している竹中平蔵委員が元会長をしていた、人材派遣会社パソナグループでしょう。

パソナと言えば、２０２１年に五輪の大会運営事務を独占契約&中抜き率9割というダイナミックさでバブルを味わい、３３００億円（２０２１年5月期）を売り上げて炎上したばかり。今度もしっかりマイナンバーカードの管理・運営事業をパッケージ受注です。まだまだ勢いが止まりません。

マイナンバーがないと政府ができない2つのこと

4桁の**暗証番号があればマイナポータルで大量の個人情報にアクセスできてしまう**ことをはじめ、セキュリティの脆弱《ぜいじゃく》性と必要性のなさを考えると、ここまでして全国民に作らせなければならない理由とはなんでしょう？

ショック・ドクトリンを読み解くときには、それがあるとできることではなく、それがないとできないことに注目してください。

マイナンバーがないと「行政が追加でできないこと」は２つです。

①全国民の金融資産（預金・有価証券・電子マネーなどすべて）を、リアルタイムで完全に把握すること

②国民の思想と行動を把握すること

１つ目の個人資産把握は、以前から財務省の悲願でした。

ちなみに「マイナンバーは脱税防止に有効」はウソです。役に立ちません。これは国会で大臣も認めています（２０１５年５月第１８９回内閣委員会）。脱税は２００１年から、国税庁の「国税総合管理システム」が、マイナンバーに関係なく全国の企業や個人事業主の申告書類や口座の出入金など一連のデータをくまなくチェックしていますし、２００３年の本人確認法と２００８年の犯罪収益移転防止法で、銀行口座開設の際の本人確認は完了しているからです。

本命は、２０００兆円を超える、日本国民が持つ金融資産でしょう。

１９４６年。戦後の**ハイパーインフレを理由に、日本政府は全国民に金融資産報告を強**

制すると、突然「預金封鎖」を実行して資産を一時凍結しました。

国民は、不動産、株式、国債、金など、すべての資産の最大9割を「財産税」として問答無用で徴収されたのです。同時に「新円切り替え」も実施されたため、手持ちの現金も一瞬にして大きく価値を失い、紙切れになってしまいました。

この苦い経験から、マイナンバーと銀行口座の紐づけ義務化に対して、「また預金封鎖をする気では？」と警戒の声が上がっているのも無理はありません。

「預金封鎖で財産没収なんてバカげた陰謀論、票を失うのが怖くて政治家にはできるわけない」と一笑する声もあります。

でも、本当にそうでしょうか？

現代の日本で、国民の金融資産を没収する方法は、国会審議だけとは限りません。議長である総理、内閣官房長官、金融担当大臣、財務大臣、日銀総裁、金融庁長官の6人で構成される「金融危機対応会議」で決められるのです。

ターゲットは預金というよりも、株などの金融資産。

なぜ今のものでも十分使える、健康保険証や運転免許証を次々にマイナンバーカードと一体化するのでしょうか。身分証明書がマイナンバーカード一本になれば、銀行の口座開設だけでなく、不動産や株式を売り買いするときにもマイナンバーカードの提示が必要になります。こうして、国民の全金融資産を把握してしまえば、あとはいろいろなやり方で徴収できるでしょう。

「財産税」は国会審議にかけたとたんに大騒ぎになるでしょうが、たとえば、今急ピッチで手続きが進められている憲法改正で、「財産権」を骨抜きにすることや、一番手っ取り早いのは、自民党が提案する新憲法草案の中の「緊急事態条項」です。総理がこれを発動すれば、「国の財政が緊急事態です」という一言で、マイナンバーで把握した国民の金融資産を没収することなど、お茶の子さいさいでしょう。

これについてはいまだに「まさかそんな中国や北朝鮮じゃあるまいし」と一笑する人が少なくありません。

でも本当にそうでしょうか？

すでに日本でも、年齢、行動、活動、決済といった情報から個人の信用力に点数をつける「信用スコア」が始まっています。９４００万人のユーザーを持つＬＩＮＥの「LINE Score」や、みずほ銀行とソフトバンクの「J.Score」、金融機関でお金を借りるときの審査に使われるＮＴＴドコモの「ドコモスコアリング」などがありますが、もし自分の個人データが知らない間に売り買いされていたらどうでしょうか？

こう聞くと、たいていの人は「いや、それ違法じゃないの？」と言いますが、そんなことはありません。

たしかに**個人情報を第三者に渡すときは、利用目的をクリアにして本人の同意を得るのが原則**でした。けれど、実はこの間、ほとんどの国民が知らないうちに、肝心のそのルールがどんどんゆるめられているからです。

２０１５年には、「個人を特定できないように加工したデータなら企業が本人の同意なしで外部に売ってもＯＫ」と法律が改正され、２０１６年には民間企業だけでなく行政や独立行政法人にも拡大、２０１７年には最も重要な医療情報までＯＫとし、２０２０年には非識別なんてまどろっこしいとばかりに匿名《とくめい》加工よりさらに簡単な「仮名加工」でＯＫにしてしまいました。

個人情報保護法が、どんどんザル法にされているのがわかりますか？

私たちのプライバシーに関わる情報が、いつの間にかどんどん企業に提供されているのです。

閣議決定は、全会一致の便利な道具!?

民主主義国家では、国が国民に何かを強制すると大問題になるため、代わりに「選択肢を奪う」という手法が取られることがあります。

「紙の保険証が廃止されたら、マイナンバーカードなしで病院にかかれなくなる！」と慌てた人々が窓口に殺到し、２０２２年12月にはようやく申請が８０００万件を突破、ついに国民の３人に２人が取得しました。

おまけに２万円分のポイントをもらうために、国民自らマイナンバーを銀行口座や健康保険証と紐づけてくれて政府は大喜びしたものの、どうせマイナ保険証を作るなら、先ほど言ったような、他の個人情報もまとめて紐づけさせたいところ。

そこで**二度手間にならないよう、最速手続きを実施**しました。閣議決定です。

閣議決定とは、内閣が全員一致で決めた政府の意向、会社でいうと取締役会で決定したこと、のようなもの。

ちなみに日本はほとんどの場合「多数決」といいながら「全会一致」へ暗黙の同調圧力がかかりますから、基本は大臣全員賛成が前提、もし一人でも反対する大臣がいたら、総理が強制的に辞めさせてから全員に賛成の署名をさせます。

（過去の例では、小泉純一郎総理が郵政民営化に反対した島村宜伸農水大臣を、鳩山由紀夫総理が普天間基地の辺野古移設に反対した福島瑞穂消費者・少子化対策担当大臣を、それぞれ閣議決定前に辞めさせてから、全閣僚の賛成署名で決定しています）

閣議決定された内容は、総理によって国会に提出され、そこで採決されると正式に法律になりますが、今は与党が過半数を保持しているので、審議をしないか、しても最少の時間で採決できてしまう。

閣議決定が「独裁！」などと批判されるのはそのためです。

「真剣に考えなければならない」

河野太郎大臣は自らのこの言葉をちゃんと有言実行しました。考えた結果が閣議決定となり、国会に提出され、スピーディに現実になっていきます。

２０２２年12月２日。参議院本会議で改正感染症法、改正予防接種法が成立し、２０２４年からの紙の保険証廃止とマイナンバーカードの取得の実質義務化が決定しました。

さらにこの改正によって決まったのが、次の新ルールです。

・都道府県知事の権限が強化される

・製薬会社が支払うワクチン関連の損害賠償を国が肩代わりする
・感染の疑いがある人物には「自宅待機指示」が可能になる
・自宅待機を拒否した人には懲役または罰金が科される
・ワクチン接種時にマイナンバーカードを身分証明書に使った人の接種記録が、国のワクチン接種記録システム（ＶＲＳ）に反映され、政府や自治体など関連機関が接種記録を確認できるようになる
・マイナ保険証をワクチンパスとして利用する

これらのインフラ整備のほうは、先ほど登場したＮＥＣが、自社のマイナンバーカードの公的個人認証システムについて、総務大臣の認定を取得済みです。

入場ゲートでＡＩが複数の顔を同時認証し、ワクチンを打っているかどうかを瞬時に色で表す同社のシステムは、２０２３年中に全国１０００か所に導入予定。「誰一人取り残さない」社会に向かって、着々と進んでいるのです。

5　アナログからデジタルへ
——危険もいっぱい

いつの間にかどんどん利用範囲が広げられている!?

ベルトコンベア式にルールができていく閣議決定は、とどまるところを知りません。

２０２３年３月４日には、２０２４年度末までに**運転免許証とマイナンバーカードを一体化させる道路交通法改正案**が閣議決定。

２０２３年３月７日には、今後年金や給付金の受け取り口座も、国民が拒否しない限り、マイナンバーと自動的に紐づけられることが閣議決定。

ここまでくると、政府のやりたい放題はどんどん加速し、次のような内容まで入れられていました。

「マイナンバーを通して得た国民の個人情報をこちらが何に使うかについては、国会を通さずにその範囲を拡大できるようにします」

これのどこがデタラメだかわかりますか？

本来、マイナンバーの利用範囲は、①税金、②社会保障、③災害対策の3分野だけなのです。なのに、拒否しない限り、関係ないものまで自動的に紐づけ。

トドメはこれです。

「規定された事務に準ずる事務」であれば、法律を変えなくても省令の見直しだけでマイナンバーの利用範囲を変えられる。

「準ずる事務」ってなんですか？　誰がどんな基準で決定を？

書いていないので誰にもわかりません。

法改正が必要ないなら、国会審議も不要。

これだけ広範囲の**個人情報が紐づけられたカードが、行政の判断で利用範囲をどんどん広げる**ことができてしまう。

今は個人情報として保護されていても、政府が「公益として必要な情報です」と判断すれば、そんなルールは外されます。

それに対して私たち国民は、意見を言うことも、嫌ですと反対するチャンスもありません。閣議決定や省令が、別名「やりたい放題宣言」である理由がわかりますね？

見落とさないで！ マイナポータルに隠された巨大な「落とし穴」

「こっちの水はおいしいよ」と言わんばかりにメリットを強調し、最近では「そうだ！マイナンバーカード取得しよう」とプリントされたTシャツを着てテレビに出演し、あの手この手で全国民に作らせようとする河野太郎デジタル大臣。

マイナンバーカード機能を搭載したスマホが全国に普及すれば、私たちは生活の中のいろいろなサービスをすべてマイナポータル上で使うことになるでしょう。

「利権だなんだと言ったって、結局社会はどんどんデジタル化していくんだから、危ないと騒ぐのはバカ。マイナポータルを便利に使いこなすほうが得策」

インフルエンサーたちは声を揃えてそう言い、便利ならいいやと思っている国民も少なくありません。

ただし、一つだけ、絶対に知っておかなければならないことがあります。

みなさんは、政府が運営するマイナポータルのトップ画面の一番下に、目立たない色で小さく書かれている「利用規約」を読んだことはありますか？

そう、小さな文字でごちゃごちゃ書いてあるので、普段私たちのほとんどが面倒くさくて見落としてしまう、あれです。

なかでも特に重要な4項目を簡単に見てみましょう。

第24条　マイナポータルの利用に当たり、利用者本人又は第三者が被った損害について、デジタル庁の故意又は重過失によるものである場合を除き、デジタル庁は責任を負わないものとします。

第25条　デジタル庁は、利用規約の変更が、利用者の一般の利益に適合し、又は、変更の必要性、変更後の内容の相当性その他の変更に係る事情に照らして合理的なものであるときは、本利用規約を改正することができるものとします。
（改正の7日前に公表、改正後に使った場合は自発的に新しい利用規約に同意したとみなされる）

第4条　（デジタル庁に対して自分の本人確認情報をいついかなるときでも閲覧されることに同意したとみなされる）

第11条　（金融機関に口座情報を照会することについて同意したとみなされる）

ここで大事なポイントは、**規約というのは契約書と違い、双方向の合意ではない**ことです。だから第25条のように「これは政府にも国民にもメリットになるとこちらで判断したのでルール変更しますよ」とできるわけです。

大事なことなので私も動画や新聞の連載記事などで知らせましたが、いまだにほとんどの国民は知りません。

けれどネットの一部で騒がれていることを素早く察知した河野大臣は、すかさずこんな動画をアップしました。

「ネットでそういう心配が出ていることは承知していますが、一般的なインターネットサービスの利用規約と読み比べても、特に特殊な要素はないと思っています」

普通の民間サービスと同じ規約だから大丈夫！　という河野大臣。

ちょっと待って、本当にそうでしょうか？

たしかに、Facebookなどのソーシャルメディアや、携帯電話サービスの規約には、ほとんどの場合「何かあったら自己責任ですよ」と書いてありますが。

けれど民間サービスは、自己責任である代わりに、マイナンバーカードのように強制的に全国民に義務化させることはありません。

本来保護されるべき個人情報にアクセスできる国の公的サービスと、同列にはできないのです。

クレジットカードなら、盗まれたら凍結させ、新しく別の番号をもらえます。

けれどマイナンバーは原則として番号が変えられないうえに、名前と住所と家族構成、年金や税金の支払い状況や、銀行の預金に生命保険に住宅ローン、所得に不動産、株といった資産情報、学校の成績から職歴、今までに受けてきた治療と飲んでいる薬の種類、公営住宅や失業保険、児童扶養手当をはじめとする各種手当の受け取り記録、犯罪歴まで含むので、悪用されたときの被害が比になりません。

今後マイナンバーカード機能のスマホ搭載が進めば、各種ポイントカードや図書カードなど、ますます多くの民間サービスが紐づけられていくでしょう。

政府の仕事は利便性よりセキュリティの徹底が先

「デジタル化は待ったなしです」

政府もメディアもインフルエンサーも、口を開けばこう言います。でも焦ることはありません。

実際は、どこの国でも仮想空間という新しい世界の中で、手探りでデジタル化を進めているからです。逆にテクノロジーの進化が高速すぎて、人間のスピードが追いつけず、怖い副作用があちこちで問題になっています。

キャッシュレスが便利だからと手首にマイクロチップを埋め込んだスウェーデン人のある男性は、しばらくすると**消費も行動もすべて記録されていることが、気持ち悪くなった**と話してくれました。

「だって政府がいつでも国民の味方とは限らないだろう？　トルドー首相がやったことを見たかい？　あれで目が覚めたよ。コントロールは残しておかなきゃ。結局チップを取り出して、今は現金とクレジットカードの半々に戻したよ」

彼がゾッとしたというカナダの事例も、やはりショック・ドクトリンでした。

ジャスティン・トルドー首相は、コロナ禍をショック・ドクトリンに使った多くの為政者の1人です。国民にワクチン接種の強制や法を逸脱した行動制限を課し、市民が憲法違反を訴えると、首相はいきなり緊急事態法を発令し、デモ参加者の個人情報を基に、彼らの銀行口座を凍結したのでした。

ショックを受けた国民が預金を引き出そうと銀行に殺到したために首相は緊急事態法を終了させざるを得なくなり、凍結は解除されましたが、図らずも、いざとなったら政府が国民のデータを使ってどんなことができるのかを、世界に示した事件だったのです。

私たち日本人は特に、あなた遅れてますよ、みなさん先に行かれましたよ、と言われると弱いところがありますが、今は海外の情報がネットでもたくさん手に入る時代です。政府とメディアが**メリットだけを推してくるものほど、海外の事例をチェック**しておきましょう。

何もかもデジタル化することは、場所を取らずスピードも上がって便利な反面、セキュリティ面では最悪です。

自然災害で、通信が遮断されてしまう状況もしょっちゅう起こります。

阪神・淡路大震災や東日本大震災、各地のゲリラ豪雨など、大きな自然災害があったとき、紙の保険証やお薬手帳がいかに大事かを忘れてはなりません。

健康保険証廃止について、不安がある方、疑問がある方は、ぜひ、厚労省に意見をぶつけてください。Twitterなどで「おかしい、おかしい」と騒いでも、反対意見は即ブロックする我が国のデジタル大臣に届くことはありません。

それよりも、厚労省や総務省のウェブサイトを見ると「国民参加の場」というページがあるので、「『国民の皆様の声』募集」というボタンを押してください。

せっかく意見を募集しているのだから、どんどん言いましょう。これ、けっこう、あなどれませんよ。

また、地元選挙区の国会議員にも、メールや電話、ファックスなどで「こういう不安があるので、ぜひ国会で追及してください」と、声を届けましょう。

6 便利で快適なディストピアへようこそ

わざわざ不便にするのはなぜ？　国民のせいにするためです

十分使える紙の保険証を廃止して、マイナ保険証を強制するのはなぜでしょう？

マイナンバーカードが兆単位のメガ利権であることとは別に、実はもう一つ大きな理由があるのです。

政府としては、紙の保険証で十分なことも、マイナ保険証にしたら医療現場が大混乱することも十分わかったうえでのことです。

わかったうえで、あえて不便なことをする。

なぜか？

政府がやることに偶然はありません。

マイナ保険証ができれば、私たちはカードを使わざるを得なくなります。ところが不便です。不便な状態になったとき、あなたは何を求めますか？

「もっと便利にしてくれ」となりますよね。国民から声が上がる。

つまり、**政府に強制されるわけではなく、国民から望む形になる**のです。政府としては万々歳です。

「国民が望むのだからそうしたのだ」と。

２０２０年の新型コロナパンデミックの際に成立した「スーパーシティ法案」もまた、ショック・ドクトリンの一つでした。

俳優の石田純一がコロナに感染したというニュースがワイドショーで横並びに流され、国民の関心がそちらに向いている間にほとんど審議なしに通過したこの法案は、都市全体をネットでつなぐデジタル都市構想です。

スーパーシティで行政、企業、個人の情報を使って、外部企業がビジネスをすることが可能になりました。同じ時期に、個人情報保護法もゆるめておいたので、市役所の公務員たちはそれまでのように独自に住民の個人情報管理ができなくなりました。

マイナンバーはスーパーシティで管理されるため、番号に行政サービスを紐づけると、今後スーパーシティで認定される事業が増えるたびに、私たち国民の情報にアクセスできるカギが、企業間で広範囲に共有されることになります。

２０２０年の改正国家戦略特区法で、マイナンバーに行政情報を紐づけることが決まりましたが、これは国民のマイナンバーを管理するスーパーシティの事業を投資家や経済界に提供する法案でした。

さらに不安視されているのは、このデジタル都市構想は中国政府との連携が決定していること。中国の下請け企業に入力作業を違法に再委託したことで５００万人の国民の個人情報が流れてしまったことを、決して忘れてはなりません。

スシロー事件の見えない刷り込み

この本を執筆中の日曜の朝、知人から電話がありました。

「今すぐテレビつけて！　フジの日曜報道よ」

何事かと普段つけないテレビのスイッチを入れた私は、思わず椅子から転げ落ちそうになりました。

今さっき、私が原稿に書いていた河野大臣本人が、黒いＴシャツ姿で映っているではありませんか！

よく見ると、シャツにはこんな文字が。

「そうだ！　マイナンバーカード取得しよう」

けれど、大臣がやる気満々でカメラに見せる胸の文字より、ギョッとしたのは話の内容のほうです。

それは、10代の子が回転寿司店での悪質な迷惑行為の動画をＳＮＳに投稿した「スシロー事件」についてでした。

大臣は、こうした**悪質なイタズラ行為への対策に、マイナンバーの活用を提案**したのです。

「いろんなサービスのアカウントを作るときに、マイナンバーカードで認証を最初にするということにすれば、年齢制限をきっちり守ることができますから。そういうところにも役に立ってくるんだろうと思います」

マイナンバーを使ってＳＮＳに年齢制限をかけるというこの発言に、たちまちネットは大炎上、「いよいよ検閲する気か？」「匿名だからこそ自由に発言できる場を奪うのですか」などの反応が上がりました。

大臣は即座に「役に立つと言っただけだ」「検閲する？　とんだフェイクニュースだ」と逆ギレ気味でしたが、口が滑ったに過ぎないとしても、政府がその気になれば、マイナンバーを民間企業であるTwitterやTikTokに提供することもできるという事実を、国民に気づかせた瞬間でした。

大臣の真意はさておき、これも典型的なショック・ドクトリンのモデルケースです。

回転寿司店でのイタズラ動画が連日、ワイドショーやニュースで流れるのを見て、みなさんはどんな感想を抱きましたか？

マナーの悪い若者に、怒りを感じたのではないでしょうか？

そして、こんな風に思った人も多いでしょう。

「野放しにしておいてはダメ。しっかり取り締まってほしい」と。

そう、これこそが国民の願いです。

その空気が高まったタイミングで、デジタル大臣がテレビに出演し、マイナンバーカードがSNSの悪用防止にも使えますよと発言する。

たとえ一部の人が政府の検閲につながることを警戒したとしても、おちゃめな「そうだ！　マイナンバーカード取得しよう」のTシャツが緊張感を和《やわ》らげ、庶民の味方のイメージを印象づけてくれるでしょう。

そしてテレビを見ている国民の頭の中に、「マイナンバーで犯罪も防止できる」という肯定的な考えが少しでも残れば成功です。

別の回転寿司チェーンはこの事件の直後に、まるで前もって準備していたかのように、「新AIカメラシステム」の導入を発表しました。

ついに**回転寿司を食べているところまで、カメラに映される**ようになったのです。

考えたら不気味なことですが、「寿司テロ」と呼ばれる迷惑動画の不快なインパクトが強すぎて、そのこと自体に国民の関心は向かないうえに、ワイドショーも特に問題として取り上げません。

今後同業他社も、次々と後に続くでしょう。

ワイドショーが横並びで取り上げるショッキングな事件もまた、政府や企業にとって、通常なら反対されるような大きな変化を一気に実行に移すチャンスだということを、私たちはよく覚えておきましょう。

マイナンバーがうまくいっている国があった！

せっかくポイントがもらえて便利なサービスが使えると思っていたら、マイナンバーの闇の部分をこれでもかと知らされて、ここまで読んだあなたは絶望的な気分になっているかもしれません。

ではそろそろ明るい話に移りましょう。

あらゆる個人情報を政府に預けながら、漏洩やなりすまし犯罪に怯《おび》えることもなく国民が快適なサービスを満喫している国があると言ったらどうですか？

そう、元電通の平井卓也初代デジタル大臣が賛美していた、バルト三国のエストニアです。

ヨーロッパの北東部にある、人口わずか１３０万人の国。

この国では、99％の人がデジタルＩＤを所有しています。行政サービスはすべてデジタル化され、24時間３６５日オンライン対応。公共料金の支払いもすべてスマホからでＯＫ。

面倒くさい税金の支払いや確定申告も、家で寝ころびながら、スマホの画面に表示される所得額や控除額を確認し、承認ボタンを押すと数分後に還付金が口座で入金される素晴らしさ。

領収書集めや難しい計算も不要、税理士もいりません。

住民登録、法人登記、駐車違反の異議申し立て、選挙の投票もスマホ画面のタップで完了。マイナンバーで情報がつながれているため、**婚姻、離婚、不動産売買を除き、すべて**

がオンラインで済むのです。

「デジタル政府」にして以来、ＧＤＰが３００％上昇、日本エストニア友好議員連盟の会長にもなった平井元大臣は、大絶賛してこう言いました。

「日本をエストニアにする！」

でも待って！　まずは歴史を見てみましょう。実はエストニアにも、あらゆる個人情報を１か所に集中させたことによる、しくじりの過去がありました。

２００７年。ロシアからサイバー攻撃を受けて行政機能が停止してしまったのです。苦い経験をしたエストニアは猛省し、それ以降は利便性よりセキュリティを最優先とし、ＮＡＴＯと共同でサイバーセキュリティ本部を立ち上げました。

国民の個人情報や国家データは複数の「データ大使館」に分散して保管されるようになり、たとえ戦争になって国土が攻撃されたとしても、国民の個人情報は政府が責任を持って死守することを最大課題にしたのです。

また、個人情報を最重要資産と位置づけ、それを保護する立場である政府の責任を明確にしました。国民が安心してデータを預けられるよう、政府への信頼度を高めるインフラも整備し、全国民がいつ自分の個人番号を検索しても、誰かがそこにアクセスした記録をリアルタイムで確認できるようになっています。

世界最先端のデジタル大国エストニアですら、利便性だけを追ったことで一度失敗し、そこからまたやり直して成功しているということの歴史は、マイナンバーを導入し始めたばかりの私たち日本人にとって、貴重なヒントになるでしょう。

制度は「性悪説」で設計せよ

だからといって、今すぐ私たちの国がエストニアと同じようにできるかどうかはわかりません。

海外の成功事例を見るとわかるように、デジタル化の成功には、技術やノウハウ以上に3つの「大切なもの」が必要で、それらは、今の日本で壊滅的に欠落しているからです。

1つ目は、政府と国民の信頼関係。

個人情報漏洩のニュースが頻繁に流れ、政治家は不都合なことがあるたびに「記憶にない」を連発して逃げる。これでは信頼できません。

2つ目は、情報の扱いに関する透明性と機密性。

エストニアでは、個人情報は1か所に集中していますが、政府や企業がそれを勝手に使えないよう、強力な規制が敷かれています。たとえば、医師や警察が個人データにアクセスするときは、職務上必要と承認された場合に限りログインできる。しかも透明性が高く、**いつ、誰が、どんな目的でアクセスしたかを、オンラインで自由に確認できる**ようになっています。

また、国が個人情報を要求できるのは一度だけ。複数の役所からのアクセスは禁じられています。このように情報の機密性が徹底されているのです。

3つ目は、個人情報の持ち主の主権保護。

国民には、自分のデータを削除できる権利が与えられています。

たとえば、私たちがネットショッピングをする際は、個人情報を登録しますよね。日本では一度ネットに入れた情報はそのまま残ってしまいますが、エストニアでは本人が自分のデータをいつでも削除できるのです。

みなさんは今の政府を信頼できますか？

エストニアの人は合理的です。私がインタビューしたある女性は、信頼できる政治家が出てくるのを待っていては時間切れになる、とあっさり言いました。

「そもそも人間は権力を握れば悪さをしたくなる性《さが》を持っているもの。ならば制度自体を性悪説で設計し、悪用できないようにすればいい」

反対意見をブロックするデジタル大臣への文句をいくらネットで書き込んでも無駄ですが、マイナンバーのセキュリティ体制や個人情報保護、透明性がしっかりするまで、**カードは作らない、使わない、という意思表示をする**かどうかは私たち次第です。

マイナ保険証のように市区町村レベルの公的サービスに関わることは、どんどん住んでいる地域の役所や地方議員に伝えましょう。

世帯全員がマイナンバーカードを作ることを保育園無償化の条件にすると発表した岡山県備前市は、保護者を中心に多くの住民が怒りの声を届けた結果、市長に方針を撤回させました。

備前市民が教えてくれたのは、自分たちの地域の未来をおまかせにしないことと、住民自治の持つ力です。地域住民として納得がいかなければ、カードを作る前に、首長のご意見箱に入れに行きましょう。

マイナンバーカードの全国民への普及が完了し、次にやってくる別のショック・ドクトリンと組み合わさったとき、取り返しのつかないことにならないよう、今のうちに行動を起こしておきましょう。

7 政府のやりたい放題を止める方法

まず、今動いている法律をチェックする

ショック・ドクトリンの特徴は、国民に考える暇を与えずに、社会を作り変えてしまうこと。政治家個人に焦点を当てたスキャンダル報道に目を奪われている間に、その裏で粛々《しゅくしゅく》と国会に提出される法案、こちらのほうに注目してください。

まずは岸田政権が今国会に提出した、マイナンバーに関するルール変更法案をおさらいしてみましょう。

①マイナンバーの利用範囲を災害、税金、社会保障の3つ以外にも拡大する。広げた分は今後別表に追加すれば可。追加利用する個人情報の種類も、国会を通さず省令だけで決めてＯＫ

②年金給付口座などの情報をすでに行政が持っている場合、「登録拒否」と申し出ない限り自動的にその口座とマイナンバーを紐づけることに同意したとみなす

③２０２４年に紙の保険証は廃止
④乳児の顔写真は不要に

最初にマイナンバー法が導入された２０１３年、国会で警察、公安、自衛隊へのマイナンバー提供について聞かれたとき、中谷元防衛大臣はこう答えました。

「災害、税金、社会保障の３つ以外に提供することはありません」

今やそんな台詞《せりふ》は忘却の彼方でしょう。この法律が通ったら最後、いくらでも範囲を広げられるのですから。

ショック・ドクトリンに対抗する方法の一つは、他国のケースと比較してパターンを読み解くことです。

アメリカとロシア、２つの例を紹介しましょう。

９・11の後、ブッシュ政権が「落ちこぼれゼロ法」という法律をスピード導入しました。

「全国テストで学校同士を競わせ、成績の悪い生徒の個人情報を軍に提供させる」

これで、かなりの公立校が淘汰《とうた》され、入隊率もアップする一石二鳥でしたが、多くの親や教師がこのカラクリに気づいたのはずっと後でした。貧しい落ちこぼれ組を狙い、入隊特典の健康保険やボーナスをちらつかせて自主的に入隊させるこの「経済徴兵制」は、国の強制にならないよう、個人情報を巧妙に利用した9・11ショック・ドクトリンだったからです。

もう一つの例は、ウクライナ戦争中のロシアです。反戦デモが拡大する中、紙の召集令状を受け取らずに逃げる国民が増えてきたので、プーチン大統領は法改正して「デジタル赤紙」を導入しました。これが公共サービスのマイページに送信された瞬間に「受領」とみなされ、即出国禁止です。よくある「メールに気づきませんでした」は通用しません。もしも無視して徴兵事務所に出向かなければ、運転免許停止など、次々に社会生活を止められ追い詰められていくという、まさに「おそロシア」な世界。

アメリカとロシアのこの事例は、果たして日本の私たちにとって他人事でしょうか？　台湾有事が緊迫するこのタイミングで、政府がやたらにカード作成を急かし、利用拡大のスピード法改正。立ち止まってよく考えてみてください。

もはや9条改正も徴兵制も不要、マイナンバーがあればピンポイントで勧誘できるでしょう。スマホという、閉じられた仮想空間の中で。

実はちょうど同時期の2023年3月9日。全国8か所で行われていた「マイナンバー違憲訴訟」について、最高裁が仙台、名古屋、九州の３か所に「違憲じゃない」という判決を出したのを知っていますか？

争点だった憲法13条（プライバシー権）への回答は、「マイナンバー制度は税金、災害、社会保障の３分野に限定されているのでプライバシー権には引っかかりません」。

わかりますね？　裁判所が「３分野だけで使うなら」と言っているそばから、「利用範囲は省令で変えてＯＫ」にルール変更するのは間違いなくアウトなのです。

マイナンバーカードを作りたくない人はどうすればいい？

「あのう……専門的なことはよくわからないけど、とりあえず焦ってマイナンバーカードを作るのは様子見したいんですが……」

私の事務所には、こんな問い合わせが少なくありません。

「マイナンバーカードは持ち歩きたくないけど、紙の保険証が２０２４年で廃止される。どうしよう！」と言う人もいます。

大丈夫、慌てることはありません。

今の保険証は２０２５年の秋までは使えるので、切れる前に発行先に連絡し、「資格確認書」（氏名、生年月日、被保険者等記号・番号、保険者情報が印刷された紙のカード）を申請してください。作るのは無料、期限は最長1年で、切れてもまた更新できます。ただし、今までの保険証のように郵送してくれないので、期限が切れる前に忘れずに更新手続きをしてください。

資格確認書は初診で18円、再診で6円の手数料が追加される以外は、暗証番号も顔写真も不要、今までの保険証と変わらず使えます。マイナ保険証を作らなければ、マイナンバーと医療情報を紐づけられることもありません。

また、マイナンバーカードをもう作ってしまったけれど、やっぱり様子見したいという人は、無料で簡単に返却できます。役所に行って返納手続きの申請書をもらい、名前、生年月日、住所、電話番号と、理由の欄に「使わないので自主返納」と書くだけ。身分証は不要、10分で完了します。いざというときには番号だけあればよいので、**番号が記載された住民票をとっておけば十分**でしょう。

政府のやりたい放題を止めるための十か条

①「デジタル化」「マイナンバーカードは国内パスポートに！」などと前のめりな政府に、

最低限のルールを入れるよう意思表示する

②健康保険証の廃止を撤回させる（病院、介護施設、高齢者や障害者をはじめ多くの人が安心する）

③カードの取得率で自治体への交付税に格差をつけるのをやめる（住民と地方議会に判断させる）

④自分のマイナンバーに紐づいた情報に、いつ、誰が、何の目的でアクセスしたかの履歴を本人がいつでも見られる設定にする（エストニアでは開示請求すれば見られる）

⑤デジタルだけにするとセキュリティが弱くなり、取り残される人が出るので、強制せず、デジタルとアナログ両方の選択肢を残した設計にする（台湾を参考に）

⑥法律をすっ飛ばして省令だけの利用拡大はＮＧ（憲法＞条約＞法律＞政令＞省令であり、明らかに飛ばしすぎ）

⑦メリットだけでなくリスクも含めて情報公開し、国民的議論の場を作る。担当大臣が国民の懸念や反対意見をブロックするのは禁止（台湾のオードリー・タン大臣を参考に）

⑧利便性の前に、漏洩、なりすましなど国内外で多発している問題の検証と対策を最優

先する。デジタル庁が責任を取らない状態で義務化はしない

⑨日本は高齢化社会なので、**デジタル化は高齢者に合わせて設計する**（複雑にしない）

⑩市区町村から送られてくる特別徴収税額通知書にマイナンバーを載せないよう、役所や地方議員に要望を出す。自分もホイホイ提供しない（提供は義務ではない。税金も保険も未記入でも受理してくれる）

思い出してください。デジタル時代の基本は「リスク分散」、世界の流れは「脱個人番号」に向かっていることを。

マイナポータルにどんどん個人情報を集めてしまって、何かあっても大臣にはブロックされ、デジタル庁は責任をとってくれません。

子どもたちに教えてあげることはこうです。

「個人データは最大資産。リスクは極力分散し、安心できるルールができるまでは自己責任で死守せよ」と。

第2章　命につけられる値札

——コロナショック・ドクトリン

「50年後、すべてが政府に監視されはじめた
時期として現在は回顧される」
——ユヴァル・ノア・ハラリ(哲学者)

1 いつかきた道、感染症ショック・ドクトリン

全人類が危険にさらされます!?

「歴史は繰り返す。最初は悲劇として、二度目は茶番として」と言ったのは、哲学者カール・マルクスです。

テロに戦争にクーデター、自然災害に大恐慌……恐怖と混乱が社会を覆い、国民が思考停止したその隙に、驚異的スピードで新自由主義政策を一気に入れて、**お友達企業と投資家たちが巨万の富を略奪する**ショック・ドクトリン。

南米やアジアのみならず、ロシア、中国、イギリス、アメリカなど大国にも仕掛けて見事成功してきたこの手法は、近年ますます巧妙さを増しています。

だからこそ、私たちは先回りして目を光らせ、大切なものを守らねばなりません。

そこで重要なことの一つは、歴史の中で繰り返されるパターンを見ることです。

大規模なショックが起きたとき、パニックになる前に立ち止まり、自分にこう問いかけ

てみてください。

「この場面、前にもなかっただろうか？」

２０２０年３月11日。

ＷＨＯのテドロス・アダノム事務局長が、神妙な顔で新型コロナウイルス感染症のパンデミック宣言を出したとき、私の頭の中で突如アラームが鳴り始めました。

11年前に起きたもう一つの事件、「フェイク・パンデミック」と批判された豚インフルエンザの記憶がよみがえってきたからです。

２００９年当時、アメリカの統計でも**季節性インフルエンザよりはるかに低い死亡率だった豚インフルエンザの脅威を煽ったＷＨＯ**の対応が、あとで大きな問題になりました。

その背景と関係者名簿を調査した、欧州評議会保健委員会のヴォルフガング・ヴォダルク委員長はこれを「フェイク・パンデミック」だとし、こう言ったのです。

「今世紀最大の医療スキャンダルの一つだ」

２００９年４月24日。

ＷＨＯが、アメリカとメキシコで、豚インフルエンザに似た未知の病気が発生したことを発表しました。

その4日後、アメリカＣＤＣ（疾病予防管理センター）が突然、ニューヨーク市の小学生45人を含む１０９人が感染したことを発表、ここから各国のメディア報道が一気に過熱していきます。

翌29日、このウイルスの危機レベルをフェーズ4から5（パンデミックの1つ前の段階）に引き上げたという公式発表とともに、ＷＨＯのマーガレット・チャン事務局長が発した言葉は、人々を震え上がらせました。

「これがパンデミック段階になったら、全人類が危機にさらされます」

全人類。この一言で、蜂の巣をつついたようなパニックが始まったのです。

アメリカメディアを筆頭に、テレビ、新聞、ラジオに雑誌が横並びでパンデミックを取り上げます。同じ空間で45人も一度に感染、しかもそれが子どもたちだったということが、人々の不安と恐怖をより拡大させました。

連日テレビに専門家が登場し、深刻そうな表情でこう解説します。

「子どもたちは発熱、咳《せき》、喉の痛みを訴えています。この未知のウイルスの正体は、まだ解明されていません……」

「こうしている間にも、感染は広がっており、抑え込むことは不可能です」

実は、チャン事務局長の警告の2日前に、感染者を出した小学校ではすでに8割以上の子どもたちが全快したのでした。

考える時間を与えるな

ショック・ドクトリンの生みの親、フリードマン教授の言葉を思い出してください。

「一番大事なことは、ショックが起こったとき、間をあけずに即導入できるよう、政策(ドクトリン)は前もって準備しておくことだ。この手法の成功のカギは、そこにかかっている」

そう、CIAの研究でも明らかにされたように、ショック状態に放り込まれた人間は、ずっとそのままでいるわけではありません。

時間とともにパニックから覚め、再び正気を取り戻すのです。

だから仕掛けるほうはスピード勝負、国民が恐怖で思考停止している間、1秒も無駄にはできません。

「考える時間を与えるな」

そこで、事前準備がものを言うのです。

もちろんアメリカ当局は、そのことをちゃんとわかっていました。

メキシコで感染者第1号が出る2週間前、バイオテクノロジー企業大手であるノババックスが、遺伝子操作によって作られた自社のワクチンがH1N1型（豚インフルエンザ）にも有効だと発表していたのです。

まさに、世界規模の感染症パニックが始まる直前の、絶妙なタイミング。その後間もなくして、**WHOが正式にパンデミック宣言を出し、ワクチンレースの幕が切って落とされた**のでした。

「ワクチンスピード製造計画」が発表されると、国内からは安堵の声が上がりました。

多くの学校が閉鎖され、飲食店は営業を自粛せざるを得ず、移動のたびに検疫《けんえき》・隔離されるストレス、テレビをつければ専門家がワクチンの危険性を警告し、ますます不安が大きくなっていく……。こうなると、一刻も早く日常を取り戻したい、ということで頭がいっぱいになり、疑問を持たなくなってしまいます。

けれど気をつけてください。

なぜならこれこそが、ショック・ドクトリンの仕掛けだからです。

実はこのときのアメリカで、自分の頭で考えて、疑問の声を上げた議員が1人だけいました。

医師で共和党のロン・ポール下院議員です。

過去の事例に共通点を見つける

ポール議員は、１９７６年にアメリカで豚インフルエンザが起きたときのことを振り返りこう指摘しました。

「あのときも、豚インフルエンザで１００万人死ぬと政府とマスコミが大騒ぎして、４０００万人の国民にワクチンを接種させた。だが結局豚インフルエンザで死んだのはたった１人、副作用のギラン・バレー症候群で30人も死なせてしまった。税金をドブに捨てたも同然だったことを、もう忘れてしまったのか？」

医師でもあるポール議員は、１９７６年当時この政府決定に反対した２人のうちの１人だったのです。

今見るととても真っ当ですが、当時は議会にも世論にも相手にされませんでした。

ショック・ドクトリンを見破る方法の一つは、**過去をさかのぼり、歴史の中で共通する、点と点をつなぐ**こと。

「恐怖」から国民を守ることは、ショック・ドクトリンの効果的な大義名分の一つです。

9・11テロは、警備業界にとって巨大なビジネスチャンスを生み出しました。

たった3か月で、マンハッタン内に4000台の監視カメラがびっしりと取り付けられ、空港に1台1500万円のミリ波スキャナーが設置されたことを、今でも覚えています。

治安を守るためとして巨額の予算案がじゃんじゃん議会を通過し、警備業界は9・11特需でお祭り騒ぎでした。

「治安」は他にもいろいろ使えます。

たとえば五輪。高速道路に公共輸送、検問所に空港、あらゆる場所に厳重警備と監視体制を敷く予算は、国民の安全を守るという理由があれば、大盤振る舞いが許されるのです。

北京五輪も、ショック・ドクトリンとして使われた典型的な事例でした。

外国からの要人を確実に保護するという名目で、中国政府はあらゆる監視システムを整備して、警備を徹底したのです。ただし、五輪が終わった後は、自国民に使えるようにして。

監視カメラ映像から指名手配犯の顔画像を作成し、全国のポータルに提示するというこのシステム構築に協力したのは、Google、ヤフー、マイクロソフトの3社。

彼らがこの件で炎上し、アメリカ議会で追及されたことは、デジタル時代のショック・ドクトリンにとって、ビッグテック企業が主要プレイヤーになったことの象徴でした。

五輪という裏ショック・ドクトリン

このショック・ドクトリンで果実を得たのは、国内監視体制を最新機器でアップデートできた中国政府だけではありません。

その最新機器を売って巨額の利益をポケットに入れた多国籍企業群にとっては、売り上げ以上に、未来につながる特別な意味を持っていました。

天安門事件以降、政治的な理由から中国政府に兵器を売ることができなくなって困っていた彼らにとって、華やかな祭典に便乗する形で商売再開の裏道を作ってくれたのが、この北京五輪だったのです。

アテネ五輪で15億ドルだった警備予算が、北京では１３０億ドルに跳《は》ね上がったのも、9・11のショック・ドクトリンが残していった、相乗効果のボーナスでした。

２００９年に話を戻しましょう。

6月にパンデミック宣言を出すと、ＷＨＯは25万〜50万人の死者数が予測されるとし、警鐘を鳴らしました。これは奇妙な話でした。その時点での死者数は１４４人、どう考えても季節性インフルエンザ以下だったからです。

これについて多くの専門家が首をかしげましたが、カラクリは簡単なことでした。ＷＨＯはその前月に、「パンデミック」の定義を大幅にゆるめておいたのでした。

ＷＨＯのパンデミック宣言と同時に、オバマ政権はノババックスやアストラゼネカ、グラクソ・スミスクラインなど複数の製薬企業と政府の間で70億ドル（約７０００億円）の契約を結び、すべての学校でワクチン接種が開始されることになったのです。

アメリカ政府はさらに、「タミフル」と「リレンザ」という2種の薬を、新しく豚インフルエンザ用に使うことを特別に許可、２００４年に鳥インフルエンザが猛威を振るったときの**在庫が大量に余っていたタミフルは、１歳以下の赤ちゃんにも緊急投与されること**になり、流通ラインはフル稼働し始めました。

ポール議員が反対した１９７６年のときと比べ、ショック・ドクトリンが効果的に実施されたと言えるでしょう。

１９７６年当時のフォード政権は、ワクチンの副作用に対する訴訟を恐れた製薬会社を守るために、政府がすべての賠償責任を引き受けるという法改正を後から慌ててしましたが、今回はちゃんと事前に「緊急事態なので何かあっても企業は免責」というルールに変えておいたからです。

これで企業側の心配はなくなりました。遺伝子操作されたワクチンやその成分について、問題を指摘する声が出ていたものの、特許で保護され企業秘密になっているうえに、何かあっても、ワクチンメーカーの責任は問われません。

テレビや新聞、政府の言う台詞の中に「緊急事態」という言葉がやたら目につくようになったら注意してください。

なぜならショック・ドクトリンを実施する側にとって「緊急事態」とは、憲法や法律、民主主義や民意といった「障害」を一気に消し去る、魔法の言葉だからです。

外資製薬企業のVIP顧客は日本の納税者

もう一つの要素である、「回転ドア」はどうだったでしょうか？

はい、こちらも景気よくぐるぐると回っていました。

1976年に全米ワクチン接種の指揮をとったドナルド・ラムズフェルド国防長官が、2001年までタミフルを開発し、独占的販売権を持つ製薬大手ギリアド・サイエンシズの会長だったといえば、説明は不要でしょう。

ラムズフェルド氏は２００４年の鳥インフルエンザの段階で、国防長官として10億ドル分のタミフル備蓄予算を承認、ギリアド・サイエンシズの株価は７００％跳ね上がり、同氏の資産も一気に拡大したのです。

２０１４年に、１２０か国２万４０００人の医療専門家の国際研究チームが、実はタミフルには解熱剤程度の効果しかないという報告書をイギリスの医療雑誌に発表しましたが、鳥・豚両インフルエンザに効《き》く「奇跡の薬」として取り上げ続ける大手メディアの影響力には、とてもかないません。

各国政府から注文が殺到していたタミフルは、すでにその時点で1兆８０００億円という法外な利益を叩き出していたのでした。

ちなみに購入先のトップは日本。本家本元の**アメリカを大きく引き離し、世界の使用量の8割近くを占めている**という、ぶっちぎりの1位です。

これは、私がアメリカに住んでいて、驚いたことの一つでした。日本ではインフルエンザの症状が出たらすぐに病院に行きますが、アメリカでは行きません。

ひどい咳をしていた職場のある同僚は、「早退して病院に行けば?」と言った私に向かって、信じられないという顔でこう言いました。

「なんてクレイジーなことを言うんだ。下手に病院なんか行って、別の菌に感染させられたら元も子もないじゃないか。薬屋で解熱剤だけ買って帰るよ」

彼の言う通り、アメリカではＣＤＣも、タミフルのような抗インフルエンザ薬は、以下の条件に当てはまる患者以外には推奨していません。

「即入院レベルの重症患者、５歳未満の幼児と65歳以上の高齢者、免疫数値の低いＨＩＶ保持者、妊婦、糖尿病や心臓病、喘息《ぜんそく》などの持病のある人」

それ以外の人が**タミフルを飲むと、耐性ができて薬が効かなくなってしまう**からです。

さらに、飲んだ後に「窓から飛び降りる」などの異常行動も報告され始めました。

日本でも一時は副作用への懸念から、厚労省が10歳以上の子どもへの処方は避けるよう勧告を出していましたが、２０１８年には解除され、症状を１〜２日短縮するだけで重症予防効果は不明なタミフルが10代にも推奨されています。

2　健康をお金に換える錬金術師たち

WHOに流れ込む製薬企業マネー

購入をやめない日本政府と対照的に、ヨーロッパの国々からは、効かないのに副作用がひどく、せっかく買っても医療現場で使われず、野党からは税金の無駄使いと批判されるとして、タミフルを必須医薬品リストに入れて備蓄を勧めたＷＨＯに、不満と疑惑の声が上がり始めます。

利益相反を追及されたＷＨＯは懸命に否定するも、注文キャンセルが相次ぐようになり、その分日本の購入量が増えていきました。

ちょうどこの頃、アメリカ国内でも、ラムズフェルド国防長官の回転ドアくぐりがＣＮＮなどに批判されていましたが、最終的には、ついにＷＨＯのメッキもはがれることになったのです。

ショック・ドクトリンを見破る一つのカギは「お金の流れ」ですが、このとき、一方向だけでなく、全方向からチェックするようにしてください。

タミフル備蓄用に10億ドルの予算を承認する立場にいたラムズフェルド国防長官のように、わかりやすい回転ドアばかりとは限りません。

一見つながりがないように見えても、お金の流れは水流のように、ほんの少しの隙間があれば入り込むことができるからです。

ＷＨＯは、一見見えづらいケースでした。

公務員である職員に直接的な製薬会社の関係者はいませんでしたが、決定に関わる**インフルエンザの専門家に、タミフルを製造するロシュから資金が流れていた**のです。

マーガレット・チャン事務局長にパンデミック宣言を出すよう助言した専門家グループのメンバーの大半は、製薬会社やワクチンメーカーとお金の関係があったことが明らかになりました。オランダ議会の調査によって利益相反が暴かれて、大問題になったのです。

ヨーロッパの国々がＷＨＯに覚えた違和感は、正しかったのでした。

懲《こ》りずに同じ製薬企業から、税金で買い続ける日本政府

成功パターンは何度でも繰り返されるもの。

それから11年の月日が経ち、次のショックが到来した２０２０年。

日本政府は、前回のパンデミックで疑惑の名が知れ渡ったギリアド・サイエンシズから、開発中の未承認薬「レムデシビル」を再び購入することになります。

しかもこのときの厚労省の動きは、前回にさらに輪をかけて、不可解極まりないものでした。

通常は、厚労省の薬事・食品衛生審議会医薬品第二部会で審議してから承認までの事務手続きが進められるのですが、このときは審議のしの字もなし、オンラインの部会が始まったときには、すでに承認が決まっていたのです。

ギリアド・サイエンシズが日本政府に承認申請してから、まだ3日しか経っていませんでした。

当のアメリカ当局でさえ緊急使用許可までしか出していない段階で、わずか3日というマッハの速さで特例承認を出した日本政府の行動力は、世界を仰天させました。24時間365日回転ドアが動いているＦＤＡ（食品医薬品局）ですら、承認を完了したのはそれから5か月も後だったのです。

繰り返しになりますが、ショック・ドクトリンはスピードが命。

生みの親であるフリードマン博士が生きていたら、どんなに褒めてくれたことでしょう。

けれどフタを開けてみると、新型コロナウイルス感染症薬として唯一認可されたレムデシビルも、タミフルのときのような展開になっていったのです。

２０２０年10月15日。

ＷＨＯはレムデシビルに死亡率を低下させる効果がないという報告書を公開、さらに腎不全のリスクを20倍高めることも明らかになりました。

けれどこうした事実が軽視されたのは、日本だけではありません。アメリカ政府もまた、タミフルのときと同じように、巨額の税金を湯水のようにギリアド・サイエンシズに注ぎ込んでいったのです。

国防総省からは３４５０万ドルの、国立衛生研究所からは６０００万ドルの開発費と３０００万ドルの臨床試験費用が投入され、さらに**レムデシビルを処方した病院には運営費全体の20％の金額がコロナ給付金として支払われる**という徹底ぶりでした。

日本の国民皆保険制度は世界のドル箱

「慌てるこじきはもらいが少ない」

日本にはこんなことわざがありますが、異常な速さで承認されたレムデシビルの落とし穴が発覚したのは、お会計の場面になってからでした。

もともとエボラ出血熱用に公費で開発中だった薬をコロナ用治療薬に転用したレムデシビルは、当然のことながら開発費はほとんどかかっていません。

なのにギリアド・サイエンシズが日本政府に出してきた請求書の値段は、5日分1クールの点滴で約38万円、効きがイマイチなら追加投与で10日分、その場合1人分70万円超です。

いくら国民皆保険制度がカバーするから患者負担はないといっても、1人に処方されるたびに最大70万円もの薬代が税金から支払われることに、医療関係者からも「高すぎる」と声が上がりました。

「言い方は悪いですが、世界中の製薬メーカーにとって、日本の国民皆保険制度は「ドル箱」なのです。

アメリカのように患者の経済状態で支払い能力が左右される民間保険と違い、恒久的に税金で保証される国民皆保険制度の、安心なことといったらありません。

おまけに日本政府が薬を輸入する際は、アメリカ国内の価格よりも割高で買ってくれるのです。

最近になって、ファイザーが自社のワクチンに原価の３００倍の値をつけて先進国政府に売っていたことが、イギリスの公共放送が流したドキュメンタリー番組で暴露され炎上しましたが、日本はそのカモの筆頭でしょう（同社の反論「いろいろ経費がかさむんですよ」）。

この傾向は年々加速し、最近では1億６７００万円という新薬まで海外から上陸し、国民皆保険の適用が承認されているのです。

世界が絶賛する、「いつでもどこでも誰でも、分け隔《へだ》てなく標準レベルの治療が安価で受けられる」国民皆保険制度は、大切な日本の宝物。

「金の切れ目が命の終わり」の医療制度を持つアメリカに長く暮らした私は、そのありがたさを何度実感したことでしょう。

けれど私たちにとっての誇るべきこの制度、「今だけカネだけ自分だけ」の強欲軍団にとっては喉から手が出るほど欲しいマネーマシンです。

保険料と窓口負担で支えている私たち日本国民が無関心のままでいたら、よくわからないものまで売りつけられ、骨までしゃぶられてしまうでしょう。

今後も手を替え品を替え、ショック・ドクトリンを仕掛けてきますから、**子どもや孫た**

ちのために、「決して奪わせない」という意識を持ってください。

コロナ禍で皆保険に入り込んだレムデシビルは、２０２２年に１０９８億円もの売り上げを達成しました。

スピード承認から２年の間に、４９３人の重篤《じゅうとく》患者と１０７人の死亡者数が報告され、ＷＨＯは推薦を取り消し、ＣＤＣへの訴訟でリスクが警告されています。にもかかわらず、日本政府は２０２２年３月から「軽症の陽性患者にも使用ＯＫ」とさらにハードルを下げているのです。

レムデシビルの市場規模予測は、２０２６年に１１１億７０００万ドル（1兆５０００億円）。ギリアド・サイエンシズの饗宴《きょうえん》はまだまだ続いていくでしょう。

豚インフルエンザは、ショック・ドクトリンの典型的な事例の一つです。

ここまでお読みいただいたみなさんはきっと、コロナパンデミックが始まったときに私の頭に不吉なアラームが鳴った理由を、同じ法則で読み解けるのではないでしょうか。

コロナで毎分750万円稼ぐ3社の闇

２０２０年の５月。日本政府が緊急事態宣言を出した翌月、アメリカのトランプ大統領が発表した「ワープ・スピード作戦」を覚えていますか？

「原爆を製造したマンハッタン計画以来のビッグな計画だ。できるだけ速く開発し、製造し、供給したい」（２０２０年5月15日）

ワープ・スピードとは、ＳＦ用語で「光速を超えたスピード」という意味です。

民間の製薬会社と国立衛生研究所、国防総省などが連携し、通常5年かかるワクチン開発を8か月に短縮。年内に1億人分を供給することを目指すこの計画には、緊急事態の名の下に、１００億ドル（約1兆円）という莫大な政府予算が確保されました。

インタビューしたある病院の院長は、そもそもあり得ない話だと一蹴していました。

「だってワクチン開発って、通常5年から10年かかるんですよ。それを8か月でやるなんて、普通に考えて途中の工程を相当すっ飛ばさないと無理でしょう。想像してみてください。恐ろしくないですか？」

たしかに、ワープ・スピード作戦は、**開発時間短縮のために、通常のワクチン開発で必ずクリアしなければならない多くの安全性テスト**が外されていました。

身体に入れるものを作る際、安全性チェックはどう考えても一番ワープしたらマズイところではないですか。

幻冬舎新書の新刊

23.05

GS

表示の価格はすべて税込価格です。

新刊

堤未果のショック・ドクトリン

政府のやりたい放題から身を守る方法

堤　未果

惨事の裏で儲ける奴らがいる!!

「ショック・ドクトリン」とはテロや大災害など、恐怖で国民が思考停止している最中に、為政者がどさくさ紛れに過激な政策を推し進める悪魔の手法のこと。日本でも大地震やコロナ禍という惨事の裏で、知らない間に個人情報や資産が奪われようとしている。強欲資本主義の正体を見抜き、私たちの生命・財産を守る方法とは？　滅びゆく日本の実態を看破する覚悟の一冊。

「緊急事態」は国民を規制する魔法の言葉／コロナ禍で空前の利益を誇る製薬企業／マイナカードのセキュリティがザル／日本政府お墨付きの「顔認証」はアメリカでは大問題に　…ほか

●1034円

仕事がなくなる！

丹羽宇一郎

世間では「リスキリング」がもてはやされているが、簡単に身につくスキルを学んだところで、一瞬でＡＩに追い抜かれてしまう。人生１００年時代といわれる昨今、ＡＩを超える働き方をするには、どうすればいいのか。著者は「ＡＩが持ち得ない、人間独自のもの」に注力すればいいのだと力説する。現状維持の働き方を続ける人は、仕事どころか、居場所もなくなる！

●990円

新刊

逆境を生き抜くための教養

出口治明

脳出血で倒れ、失語症・右半身まひという後遺症を抱えた著者。人生最大の逆境を乗り越える支えとなったのは、読書で培った「知の力」「教養」だった。「状況が厳しいときこそ数字・ファクト・ロジックが不可欠」「必要なのは、強さ・賢さより〈運〉と〈適応〉」――逆境を生き抜くために役立つ物事の考え方や知識を、「知は力なり」を身をもって体験した著者に

●990円

徳川家康と

武田勝頼

平山 優

家康の生涯における最強の宿敵・武田勝頼。ふたりの熾烈な対決は、実に9年にも及んだ。その間の幾多の合戦や陰謀、家族・家臣たちとの軋轢から起きた事件においては、最新研究によって知られざる側面が次々と明らかになってきた。勝頼を滅亡に追い込んだ家康の「深慮遠謀な戦略」とは？　本書では武田氏研究の第一人者が、家康と戦国最強軍団との死闘の真実に迫る！

●1078円

名字・戸籍・墓

あなたのルーツ

丸山

ルポ 中年童貞

中村淳彦

4刷

性交渉未経験の成人男
歳以上の未婚男性の4人に1人が童
ハウスで理想の女の子の絵を描き続ける32歳
く同性愛を選択した36歳、AV男優に採用されたが女優に嫌
がられセックスできないまま自殺した33歳。性をめぐる取材を続ける著者が抉る日本社会の不健全さ。衝撃のルポルタージュ。

●880円

真理の探究

仏教と宇宙物理学の対話

佐々木閑　大栗博司

4刷

心の働きを微細に観察し人間の真理を追究した釈迦の仏教。自然法則の発見を通して宇宙の真理を追究した近代科学。アプローチは違うが、この世の真理を求めて両者が到達したのは、「生きることに意味はない」という結論だった。そのような世界で人はどうしたら絶望せずに生きられるか。なぜ物事を正しく見ることが必要なのか。当代一流の知性による白熱の対話。

●924円

ダークツーリズム

悲しみの記憶を巡る旅

井出 明

2刷

人類の悲劇を巡る「ダークツーリズム」が世界的に人気だ。どんな地域にも災害、病気、差別、公害といった影の側面があるが、日本では、それらの舞台を気軽に観光することへの抵抗感が強い。しかし、本当の悲劇は、歴史そのものが忘れ去られることだ。小樽、熊本、西表島、長野など代表的な日本のダークツーリズムポイントを紹介。未知なる旅が始まる一冊。

●902円

ぼけの壁

和田秀樹

10万部

幸せな老後、残念な老後を左右するのは「脳の老化」。その二大原因は「認知症」と「老人性うつ」だ。認知症は実は進行がゆっくりで、「かかったら人生おしまい」ではない。老人性うつは適切に治療すれば治る病気だ。正しく知ってメンテナンスすれば、ぼけが始まっても脳は簡単には衰えない。大ベストセラー『80歳の壁』の著者による明るい老後の最終結論。

●990円

好評既刊

名著の予知能力

秋満吉彦

「１００分de名著」（ＮＨＫ Ｅテレ）で取り上げる作品を九年にわたり選び続けてきたプロデューサーが最も戦慄を覚えたのは、現代社会のありようを言い当てる「名著の予知能力」。カミュ「ペスト」には、新型コロナで苦しむ「今」があった。ル・ボン「群衆心理」は、分断を煽るＳＮＳ社会を見通していたかのようだ。名著との格闘は人生をも変える。画期的な「名著」の読み方。

●1100円

60歳からの文章入門

書くことで人生は変えられる

近藤勝重

書くことは、自分の人生を見つめ直すこと。本書はテーマの設定から文法、構成、自分らしい表現までをわかりやすく解説。「思うこと」ではなく「思い出すこと」を書く、「私」を削る、「だから」「しかし」も削る、自分だけの「気づき」の鍛え方など、文章力アップのコツを伝授する。日記、手紙、エッセイ、物語……書き続けることが、あなたの生きた証になる！

●990円

事実はどこにあるのか

民主主義を運営するためのニュースの見方

澤　康臣

デジタル情報の総量はこの20年で1万６０００倍になったが、権力者に都合の悪い事実は隠され、ＳＮＳ上にはデマや誤情報が氾濫する。記者はどうやって権力の不正に迫るのか。ＳＮＳと報道メディアは何が違うのか。ジャーナリズムのあり方を現場の声を踏まえてリアルに解説。ニュースの見方が深まり、民主主義に必要な正しい情報を見極められるようになる一冊。

●1100円

日本が売られる

堤　未果

21.3万部

日本には美しい自然があって、おいしい食べ物があって、治安や医療、介護環境も世界一。そう思う日本人は多いが、これらは全て過去の遺産になりつつある。日本人が知らぬ間に様々な法改正がなされ、米国や中国を始めとする海外勢が日本の資産を食い潰そうとしているのだ。気鋭の国際ジャーナリストが緻密な現場取材と膨大な資料をもとに書き下ろした一冊。

●946円

日本が飢える！
世界食料危機の真実

山下一仁

2刷

近年、問題になっている世界的な食料不足が、ロシアのウクライナ侵攻で一気に深刻化した。食料の多くを輸入に頼る日本でも、憂慮すべき事態が進行している。長きにわたる減反政策で米の生産が大きく減り続け、余剰も備蓄もない状態なのだ。軍事危機で海上交通路を破壊されたとき、国は国民にどうやって食料を供給するのか？　元農林水産省官僚による緊急警告。

●990円

人間の器

丹羽宇一郎

5.3万部

「器が大きい人」というと、どんな人をイメージするだろうか。著者は「自分に何の利益がなくとも他人のために行動できる人」だという。私欲を封印し、他人のために何かを成すのは、そう簡単ではない。器を大きくしようと無理をすると、かえって器は小さくなってしまう。ならばどうすればいいのか？　本当の意味で器を大きくするための心のありようや生き方について詳述。

●924円

話題のベストセラー

シン・養生論

たちまち重版!

90歳の壁を越えた
現役作家が
今も実践!

五木寛之

撮影・帆刈一哉

きょうの養生、あすの往生。

世界は疫病や戦争など心萎える日々の連続で、ふだんの健康などどうでもいいような気もしてくるが、「あす死ぬとわかっていてもするのが養生」、この耐用年数の過ぎた貧弱な体を、なんとか維持していかねばならないのだ——。長年、「体が発する信号＝身体語」に耳を傾け、不具合を治めてきた〝体感派〟作家によるフリースタイル養生論。進化し続ける㊙健康法とは。

健康法も生き方も……養生アップデートのすすめ

歩行は10本の足指をフルに使って／誤嚥を防ぐ嚥下のコツ／視界が開ける上瞼の引き上げ運動／聴力維持の独断的習慣／ボケの始まりは〝見る、聴く、触る〟の遮断から／噛み方は片寄っていないか／健康情報の判断は〝実感〟／新しい老生観の確立を／死を明かるく見つめる未来へ …ほか

●990円

話題のベストセラー

80歳の壁［実践篇］

幸齢者で生きぬく80の工夫

和田秀樹

3.3万部

食べ方・眠り方・入浴・家事・運動 とことん具体的にお教えします！

肉を食べるなら朝からがいい。よい睡眠のためには「夜牛乳」と「6分間読書」を。入浴は午後2～4時が最適等々。お金も手間もかからない、ちょっとした工夫をプラスするだけで、あなたも「80歳の壁」を楽しく越え、人生で一番幸せな20年を生きる幸齢者に。大ベストセラー『80歳の壁』がさらに具体的に進化した、決定版・老いのトリセツ誕生！

メタボより低カロリーに要注意／会話やカラオケでのど仏を鍛える／薬を「半分」やめる勇気を持つ／脳を守るためにカルシウム／ストレス解消に、まずゆっくり息を吐く／家族と同居より「一人老後」の方が長生き …ほか

●990円

株式会社 幻冬舎

〒151-0051 東京都渋谷区千駄ヶ谷4-9-7

［編集局］TEL03-5411-6211 FAX03-5411-6225

［営業局］TEL03-5411-6222 FAX03-5411-6233

［幻冬舎ホームページアドレス］https://www.gentosha.co.jp/

［幻冬舎plus］https://www.gentosha.jp

GENTOSHA

医療の専門家でない私でも、ゾッとせずにはいられません。

でも今思えば、それは些《さ》細《さい》な不安でした。ショック・ドクトリンの法則に当てはめることで見えてきた驚愕《きょうがく》の事実に比べたら、まだ始まりに過ぎなかったのです。

それは、ショック・ドクトリンの大事な部品、回転ドアの動きをチェックしたときのことでした。

アメリカＦＤＡのワクチン諮問《しもん》委員会メンバーのみなさんと、コロナワクチンを世界の政府に販売し、巨額の利益を得たファイザーの関係は、あまりにもあからさまだったのです。

まず、アーノルド・Ｓ・モント委員長代理は、２０１８年にファイザーのコンサルタントを務めていました。マイロン・レビン委員は、ファイザーのワクチン研究開発部門の責任者の指導役。アーシャナ・シャッテージー委員は、２０１８年から２０２０年までファイザーが主催する乳児用ワクチンプロジェクトのメンバー。ジェイムス・ヒルドレース委員はファイザーからワクチン絡《がら》みで１５０万ドルを受け取っており、ジータ・スウェイミー委員はファイザーコロナワクチン研究者の１人、グレッグ・シルベスター委員はファイザーの元役員でした。おまけに、トランプ大統領が任命した「ワープ・スピード作戦」のスラウイ首席顧問は、なんとグラクソ・スミスクライン出身でモデルナの取締役という鮮やかすぎる経歴です。

そしてなんといっても、アメリカの製薬業界で常に争奪戦になるのが、医薬品を承認する官庁のトップであるＦＤＡ長官。

コロナ前年に、**スコット・ゴットリーブＦＤＡ長官がファイザーの取締役にヘッドハンティング**された時点で、同社の勝利は約束されていたと言えるでしょう。

コロナ禍のアメリカで、いかに回転ドアが激しく回っていたか、見えますか？

ですが９・11のときのように、パンデミックによって国民がショック状態に置かれていたために、これだけあからさまな利益相反人事も、日々流される恐怖のニュースの裏に隠れてしまっていたのでした。

ちなみに２００９年に利益相反大スキャンダルを暴かれたＷＨＯは、その後反省したのでしょうか？　現在のＷＨＯの科学諮問委員会を見てみると、15人の委員のうち８人がファイザーやグラクソ・スミスクライン、ノバルティスなど大手ワクチンメーカーと製薬企業から多額のお金を受け取っています。

さらにＷＨＯ自体も、予算の半分を占める民間寄付者の大半がワクチン推進団体とワクチンメーカー、製薬会社なので、もはや中立な公衆衛生の判断がされていると思わないほうがいいでしょう。

コロナ禍で日本製回転ドアをくぐった人たち

一方、ファイザーやモデルナのコロナワクチンを爆買いしていた日本政府に続く回転ドアのほうはどうだったのでしょうか？

ええ、負けず劣らずよく回っていました。

国際医療福祉大学教授で、厚労省の新型コロナウイルス感染症対策アドバイザリーボードメンバーの和田耕治委員は、２０２２年８月に、ファイザーのワクチンメディカルアフェアーズ部門の部長に栄転。

テレビに頻繁に出演し、ワクチン接種を推奨する発言を繰り返していたワクチン分科会の坂元昇委員は、ファイザー臨床開発統括部長を5年務めていました。

都道府県が子どものマスク着用やワクチン接種を勧める中、回転ドアが回っていたのは国だけじゃありません。

２０２２年2月には、東京都がファイザーの日本法人執行役員である宮原京子氏を教育委員に任命。教育委員会は、学校に対してワクチン接種やマスク着用などのガイドラインを出す機関で、その５人の委員の１人ですから、非常に影響力がある立場です。

　小池都知事がファイザー役員を任命した理由はこうでした。

「教科書の検討委員もしていて、ワクチンと教育の両方に詳しそう」

　これ、大丈夫でしょうか？

　その前年の５月にファイザーは、自社のワクチンを接種した12歳から15歳の子ども１０９７人中、８割（８６６人）に副反応が確認され、うち２人に１人は重症だったという報告書を発表しています。

　ファイザーやモデルナが提供しているのは、メッセンジャーＲＮＡというまだ世に出たばかりの新種の薬剤ですが、ワープ・スピード作戦で治験の部分がワープされているため、まだ人間への影響はわかりません。

　多くの国で、**重症化リスクのない子どもたちにわざわざワクチンを打つことに疑問を投げかける医師**が少なくないのは、そのためです。

　永田町は言わずもがな、子どもたちの命と健康に関わる決定をする都知事や都議会もまた、最低限メーカーの公式情報をチェックして、政策決定の場からは、判断を偏《かたよ》らせる利益相反要素を極力排除すべきでしょう。

宮原氏が任命された2月は、ちょうど日本でファイザーの子ども用ワクチンの申請が通り、全国自治体への供給準備ができた月でした。

3 ショックから覚醒し始めた人々

ファイザー製ワクチンの感染予防効果は不明!?

教育委員会からのお知らせには、ワクチンの予防効果は90％と書いてあります。

これと同じ言葉を書いたポスターが、欧州議会の、コロナパンデミックに関する特別委員会の会場にも貼られていたのをご存じですか？

「大切な人を守るために、ワクチンを接種しよう」

２０２２年10月。

ファイザーの幹部を参考人として招致したこの日、欧州議会議員たちはフレンドリーにこう言いました。

「私たちもワクチンを打っていますよ。欧州では皆、３回目、４回目の接種をしています」

相手は、代理で来ていたファイザーの幹部、ジャニーン・スモール氏。もともと呼ばれていたアルバート・ブーラＣＥＯが、何度依頼しても出席を拒否していたからです。

ところが、このときのスモール氏の発言が大炎上、恐ろしい騒ぎに発展したのでした。

すでにワクチンを複数回接種したという議員たちを前に、ワクチンの予防効果を聞かれた彼女はこう言いました。

「いいえ、我が社のこのワクチンは、販売前に感染予防効果のテストなどはしていません」

まさかの事実に、議場にざわめきが走りました。

無理もありません。なぜなら彼らは、そこを信じて45億回分もワクチンを大量購入したのです。

「大切な人を守るためにと言われて国民に勧めてきたのに、感染予防効果が不明？　いったいなんのために巨額の税金を費したのでしょうか？」

議員の1人からそう追及されると、スモール氏はこう言いました。

「あのときは、科学のスピードで動くことが何よりも大事でしたから」

科学というより「はじいたそろばんのスピードでは？」と思わざるを得ませんが、少なくとも**ショック・ドクトリンで最も大事なスピードの法則を忠実に守っていた**のは確かなようです。

これを聞いた欧州議会議員たちは、激怒しました。

ファイザーに25億ユーロの返還を求めよという声が上がり、クリスティーナ・アンダーソン欧州議会議員は、記者会見を開いて、怒りとともにこう訴えました。

「国民は騙されていたのです。この巨大なウソの上に、西側諸国の政府が乗っかりました。人々の自由や権利を奪い、家の中に閉じ込めて外出を禁止した。こうした一連のことが、すべてこのウソの上に積み重なっていったのです」

緊急事態だと焦らされ、立ち止まって考える隙を与えられないこと、平時には人権意識が高いことで有名な欧州議会議員ですら落ちてしまうショック・ドクトリンの落とし穴が見えるでしょうか？

２０２１年２月。インドの民間放送「ウィオン」が、ファイザーが各国政府と結んでいるコロナワクチンの契約条件の数々をスクープしました。

内容は、同社が相手政府に、自社に都合のいい契約条件に合わせた国内法を作らせたり、**支払い担保《たんぽ》として軍事基地まで要求している**というもの。

どこかで聞いたことがあるような……？

そうです。ＴＰＰやＦＴＡなどの自由貿易条約の中にあるＩＳＤ条項（アメリカ企業の利益を阻《はば》む国内法は訴訟対象になり、通常は契約国に法改正を要求）によく似ています。

考えたら、あの条項を入れるようアメリカ政府に圧力をかけていた企業弁護士団に、ファイザー弁護士もちゃんと入っていましたね。

そもそも、緊急時に命に関わる薬が特許のせいで高額で売られることに否定的な立場をとっているジェネリック大国インドでは、パンデミック当初から、言うことをコロコロ変えるWHOの態度にも批判的だったのです。

「みなさん、信じられますか？」

キャスターはただでさえ大きな瞳をカメラに向かって見開くと、言いました。

「ワクチンの供給と引き換えに、他国の軍事基地を要求するなんて！」

この時点でファイザーは、中南米9か国（チリ、コロンビア、コスタリカ、ドミニカ共和国、エクアドル、メキシコ、パナマ、ペルー、ウルグアイ）と契約を結んでいましたが、リストから重要な2か国が抜けていた理由は、まさにこのファイザーの「やりたい放題条件」のせいだったのです。

ワクチン契約で植民地にされる!?

2020年7月。国民のための緊急ワクチンについての会談の席で、ファイザーのCE

Oがアルゼンチンのフェルナンデス大統領に出した条件はこうでした。

「今後我が社が訴えられたとき、訴訟費用は全額おたくが出してくれ」

トランプ政権下で、大事な工程をじゃんじゃん「ワープ」して最速開発したこのワクチンは、言うなればまだ「治験中」。当然売った後に各方面から訴えられる可能性大ですから、まずは請求書を買い手につけ替えてリスク管理というわけです。

そんなことを言われたのが初めてだったフェルナンデス大統領はびっくり仰天しましたが、緊急事態に国民を守るためには仕方ありません。しぶしぶ承諾し、「同社に過失がない場合には訴訟費用はアルゼンチン政府が出す」という法律をわざわざ作ったのでした。

するとファイザーはこう言ったのです。

「『過失』って言葉は消してくれ」

仕方なくアルゼンチン政府はそこを消し、代わりに「供給と配送ミス以外は」と書きました。でもそれではまだ賠償金リスクが消えません。そこでファイザーは言いました。

「国際訴訟保険にも加入してくれよ」

絶対にびた一文支払わないぞ、というその態度にアルゼンチン側は辟易《へきえき》しましたが、国民のためにぐっとこらえて保険に加入しました。

交渉というのは、**吹っかけられた条件を次々にのんでしまうと、ますます相手をつけあがらせてしまう**ことが少なくありません。

国際交渉などまさにその典型なのですが、ショック・ドクトリンを仕掛けられているときは、「緊急」というマジックワードで頭が麻痺して判断力をなくすので、よくよく注意が必要です。

案の定、ファイザーは調子に乗ってさらなる要求を出してきました。

「やっぱり何かあったときの用心に、おたくの軍事基地と大使館と銀行準備金を担保に入れといて」

ショックで麻痺した頭はときに、想像の斜め上をいく別の強い刺激によって、急に覚醒することがあります。

ファイザーの度を超した強欲っぷりに、カツアゲされたいじめられっ子のごとく、黙って要求をのみ続けていたフェルナンデス大統領は初めてハッと我に返りました。ワクチン提供と引き換えに、あわや自国の主権まで持っていかれかけていたのです。ギリギリで気がつき、契約は白紙にされたのでした。

もう一国は、コロナ被害が世界で3番目に大きかったブラジルです。

2021年1月。ブラジル保健省が公表したファイザーからの契約前条件5項目もまた、大いなる吹っかけに満ちていました。

①ブラジル政府は海外資産の権利を放棄する
②ファイザーにブラジルの国内法は適用されない
③納期について文句は禁止
④納期が遅れてもペナルティはなし
⑤副作用が出てもファイザーに責任なし

さらにファイザーはブラジル政府に、初めから補償基金を作って外国の口座に入金することまで指示。まるで植民地に対する入植者のような上から目線の態度に、ボルソナロ大統領は激怒。

フェルナンデス大統領のような忍耐はなかったようで、すぐさまキレて契約はおじゃんになりました。

ワクチンバブル終了後は、4倍の値段で日本に売れ

「新型コロナワクチンを原価の３００倍で販売していたことが、イギリス報道機関をはじめ複数の国で暴露され、炎上したファイザーは、その後反省して態度を変えたのでしょうか？」

あの頃、こんな質問が、私の動画会員たちから複数寄せられました。

ええ、変えました。ただし、世論の怒りではなく、同社にとって何より怖い、株主たちからの圧力によって。

２０２１年に３７０億ドル、**２０２２年に１０２０億ドルという空前の利益**を叩き出し、我が世の春を謳歌《おうか》している最中も、幹部たちは常に株主からの「利益を維持するように」という圧力にさらされているのです。

ショック・ドクトリンの法則を思い出してください。

「平時なら通らないような無茶振り案件も、ショックで国民が思考停止している間は通用する。ただしずっとは続かない。人々がショックから覚めて我に返るまでの間だけ」

ですから、そうなる前に先手を打っておかねばなりません。

アメリカ国内でもコロナに対する関心自体が薄れていて、２０２２年夏に行われた世論

調査では、コロナが深刻な問題だと考えている国民は2割以下でした。

そして何よりも、ファイザーをはじめとするワクチンメーカーには、譲れないタイムリミットがあったのです。

アメリカ政府がコロナワクチンを1本30ドル（約４０００円）で買い取って国民に無償で接種させてくれる緊急買取制度の期限が２０２２年末に切れることは、株主たちにも周知の事実でした。

そこでまず、２０２２年4月に、コロナワクチンの追加接種の対象を「5歳から12歳未満」に引き下げるようＦＤＡに申請。その後10月に、同社のアンジェラ・ルーキン病院部門長がワクチンの値上げを発表します。値段はそれまでの4倍の１３０ドル（約１万７５００円）。ここまで単価を上げても、今後はインフルエンザ予防接種と同様に民間の保険会社が支払うだろうからご安心くださいと、株主たちに伝えたのでした。

この発表の後、ファイザーの株価は上昇、尻馬に乗ったモデルナの株も同じように上がったものの、アナリストは２０２３年にはかなり減収するだろうと予測しています。

実際に、ワクチンの予防効果に確証がないことや、接種後の死亡率や副反応件数などが増え、各地で追加接種をする人の数が減り続けているからです。ヨーロッパでは健康被害データの公表や訴訟が相次ぎ、アルゼンチンではワクチン治験の責任者がファイザーから資金を受け取る利益相反をジャーナリストが暴き、米アイダホ州ではｍＲＮＡワクチンの人及び動物への投与を犯罪化する法案が進むなど、明らかに流れは企業側に不利な方向に変わり出しているのでした。

けれどワクチンメーカー幹部と株主たちにとって、希望がないわけではありません。

かつてアメリカで、除草剤に発がん性リスクを記載しなかったとして、アグリビジネス大手の旧モンサントが裁判に敗訴して株価急落の憂《う》き目に遭ったとき、同製品の規制をわざわざゆるめて、それ以降もずっと大量輸入し続けてくれている、日本のような国が存在するからです。

ファイザーとモデルナのワクチンを大量購入してくれている日本政府は今回もその期待を裏切らず、政府とメディアは最初から一貫してワクチン接種を奨励し続けてきました。

２０２１年６月に、**ＷＨＯが18歳未満の子どもはリスクの高さからワクチン接種を控えるべきだと発表**した時期にも、情報番組に出演した河野太郎ワクチン担当大臣は子どもの接種について「副反応はあるが」と前置きしつつ、「予防効果のためには打ったほうがはるかにいい」「夏休み中に打てば2学期は心配せず学校に行ける」と強力にプッシュしています。

２０２２年1月には接種の対象に5歳から11歳の子どもを加えるファイザーの申請を承認、その後間もなくしてさらに生後6か月の乳児までの引き下げも承認されました。

それだけではありません。２０２３年2月には、同ワクチンの特例扱い期限の1年延長を決定し、コロナワクチンを「定期接種」に移行させる方針を政府が公表。テレビでは引き続き、５回目の接種を推奨するＣＭがせっせと流れているのでした。

小池都知事もまた、東京都の福祉・保健医療部門とファイザーとの連携を発表するという奇行に走っています。

都というのは本来、都民が接種する薬やワクチンの安全性をチェックする立場のはず。購入の決定権を持つ立場でありながら、悪びれもせず手を組んでしまう利益相反っぷりには、あきれてものが言えません。

これに関しては、薬の安全性を監視する第三者機関である薬害オンブズパースン会議が激しく批判。ファイザーの執行役員を教育委員会に入れたことに続いて「異常な癒着《ゆちゃく》だ」と猛反対、撤回を求める意見書を出しています。

爆買いしたワクチンは期限切れで捨てられている

あまり知られていませんが、実は日本で２０２３年2月までに、約７７８３万回分のコロナワクチンが破棄されていたことをご存じですか？

金額にするとざっと**２０００億円分、それだけのお金をドブに捨てていながら、まだ大量に作らせよう**というのは、いったい誰のためなのでしょう？。

モデルナのＣＥＯは、次々に自社工場で新しく作られるワクチンについて、こんな表現をしています。

「たくさんの人が、9月になると新しいiPhoneを手に入れて、最新のアプリを入れたり、今あるアプリを更新したりするだろう？　私たちがやろうとしているのはそれと全く同じ考え方なんだ。コロナやインフルエンザなどの呼吸器感染症、そういうのを全部まとめて1つのワクチンに加工して、毎年定期的に接種できるようになる。便利だろう？　あと5年以内に完成だ」

誰かこのＣＥＯに思い出させてあげてください。

彼の会社が、毎年日本に８００億円分売ろうとしているそのワクチンが、緊急だからと安全テストをすっ飛ばして条件付きで認可され、まだ治験すら終わっていないという事実

日本政府が購入したワクチン

契約年月	購入先と回数	合計回数（金額）
2020年10月	米モデルナ 5000万回	3億1400万回 （7270億円）
12月	英アストラゼネカ 1億2000万回	
2021年1月	米ファイザー 1億4400万回	
5月	米ファイザー 5000万回	2億7500万回 （5120億円）
7月	米モデルナ ★7500万回	
9月	米ノババックス 1億5000万回	
10月	米ファイザー 1億2000万回	1億2000万回 （4977億円）
12月	米モデルナ ★1800万回	1億7300万回 （6670億円）
2022年2月	米ファイザー 1000万回	
3月	米ファイザー 7500万回	
	米モデルナ 7000万回	

合計	米ファイザー	3億9900万回	8億8200万回 （2兆4037億円）
	米モデルナ	2億1300万回	
	英アストラゼネカ	1億2000万回	
	米ノババックス	1億5000万回	

※合計回数は予備費の支出ごと。★はモデルナ追加接種用で1.5倍換算後の回数。予算額には購入経費の他、所要の流通費用を含む。財務省と厚生労働省の資料を基に作成

を。

薬やワクチン、食品など、命と健康に関わるものに関して、都知事や都議会に丸投げすることがいかに大きなリスクになるか、私たちは肝《きも》に銘じなければなりません。

特に今回のように、都知事も都議会も国に言われるがままにワクチン接種を推奨しているようなケースでは、与党が過半数を占める都議会で、そのままサクサク決まってしまいます。

これを読んでいる東京都民のみなさんは、ちょっと目をつぶって、考えてみてください。都議会議員の顔と名前、いったい何人浮かびますか？

もし「ほとんど知らない」というあなたは、ショック・ドクトリンを仕掛ける側にとって、最高の環境を提供していることになります。

私たちの国日本にも、今や四方八方から強欲軍団の手が伸びていますから、今後自分や家族を守るためには、**1人でも多く話のわかる議員を増やすことが最重要課題**になるでしょう。

地方選挙の重要性は、いまだかつてないほどに高まっています。

そしてまた、子どもたちに関しては、学校や教育委員会任せにせず、保護者が自分の手で情報を集めて判断し、我が子を守るべく動いてください。

ファイザーのコロナワクチンは、２０２１年に最も売れた薬となりました。会社全体で前年より増加した８１２億ドル（約９兆円）を売り上げたうち、なんと45％の３６８億ドル（約４兆円）がこのワクチンです。おかげで、同社は５年ぶりに世界トップの座を手に入れることができました。

今や世界はワクチン特需、ファイザーとモデルナ、ビオンテックの３社は、毎分６万５０００ドル（約７５０万円）を稼いでいるのです。

パンデミックに便乗したショック・ドクトリンと回転ドアによって、それまでランキングの下のほうにいたワクチンという商品は、一気に、がん、糖尿病に次ぐ世界３位（コロナ前は16位）の市場規模にのしあがったのでした。

売り抜けたほうは笑いが止まりませんが、アメリカに言われるがまま爆買いしすぎた日本では、有効期限切れになったコロナワクチンが大量に捨てられています。

２０２３年２月にも、厚労省が約４６１０万回分のコロナワクチンを廃棄したことが、ひっそりと新聞に載っていました。

4　緊急時に拡大された権力は、その後もずっと残る

自宅待機でビッグテックが太り、情報が消えていく

哲学者のジェレミー・ベンサムが考案した、常に360度全方向から監視することが可能な「パノプティコン」と呼ばれる刑務所のデザインを知っていますか？

24時間週7日、いつどう見られているかわからない環境にいる囚人たちは、やがて自ら率先して、行儀よく振る舞うようになっていくのです。

イギリスの経済誌「エコノミスト」は、パンデミック初期に、コロナ禍の社会がこのような監視社会に向かうのではないかという警鐘を鳴らしていました。

コロナというショックの下で、家に閉じ込められ、オンラインでの仕事を余儀なくされ、**外出するときはカメラ付き体温計に顔を映さなければならなくなった私たちは**、いつの間にか家庭で、仕事場で、外で監視されることに慣《な》れてしまいました。

コロナ禍の自宅待機政策は、監視カメラ産業にとっての特需になり、Appleの時価総額

は２０２２年1月時点で3兆ドル（約３５０兆円）を突破。２０２１年8月時点で日本の上場企業すべての時価総額を上回ってしまいました。

コロナ禍でビッグテックが焼け太るということは、私たちがアクセスする情報を一手に握る民間企業のコントロールがより強くなるということ。

自分の身を守るためには、今のうちにこのことに気づかなければなりません。

この間、感染症拡大という恐怖への対策として、報道機関やＳＮＳの検閲が堂々と行われるようになりました。

Facebookは、ファクトチェックの名の下に投稿の検閲を実施。新型コロナウイルスワクチンに否定的な情報を広めたとして、数百のアカウントを削除したことを発表しました。

Google傘下の動画サイトYouTubeは、新型コロナウイルスに関して、**ＷＨＯの発信している内容と矛盾する内容や、ワクチンに否定的なコンテンツをすべて禁止**し始めました。

具体的には以下の３つです。

①ワクチンの安全性を否定する内容

②ワクチンの効果や感染拡大防止効果を否定する内容
③ワクチン成分に対する否定的・不正確な内容

9・11のアメリカで経験した違和感が、コロナ禍でよみがえります。あの頃との違いがあるとすれば、どんどん消されるコンテンツが、ブログから動画に変わったことでしょうか。

Twitterは「バードウォッチ」という名前の、オンライン上のファクトチェック機能を導入しました（ちなみにTwitterは、２０２２年にイーロン・マスク氏が買収した後、同社に政府から言論検閲の圧力がかかったことを内部文書で暴露して、今アメリカではマスク支持派とアンチの間でバトルが繰り広げられています。その際、削除要請が多かった国ランキング1位は、他でもないここ日本でした）。

タイ、カンボジア、カナダ、中国も加速させる情報統制

緊急事態の名の下に、各国政府も堂々と情報統制を実行しています。

国境なき記者団はパンデミック以降、少なくとも38か国でコロナ情報に関する検閲や記

者への拘束などが行われていることを批判しています。タイでは感染症に関して不安を煽る情報の発信を禁止、カンボジアでは政府のコロナ対策を批判した記者が逮捕され、カナダではワクチン義務化が行きすぎだと政府に声を上げた市民を警察が馬で押さえ込み、怪我人を出して大問題になりました。

北京五輪で監視システムをばっちり更新した中国政府は、今や国中に1億７６００万台の監視カメラを配備し、約1秒で個人を特定、武漢市の状況を発信するだけで逮捕されるという、徹底した体制を作り上げています。

フリードマン教授の言う通り、ショックはずっとは続きません。

特に、今はまだネットやＳＮＳだけでは完全に統制し切れないので、だんだん現場の情報が漏れて広がっていき、人々は再び自分の頭で考えるようになるからです。

前述したように、ＣＤＣが訴えられたり、ＷＨＯの利益相反が指摘されたり、ファイザーの幹部がワクチンの感染予防効果のテストはしていないと暴露してしまったりと、世界の多くの人々が、ワクチン効果に対する疑惑の目を向け始めるようになりました。自粛もマスク着用も解除され、旅行も解禁され、多くの国々では日常が戻ってきています。

コオロギキャンペーンの先には虫ワクチンがスタンバイ

コロナワクチン関連で、同時並行のプロジェクトもチェックしてみましょう。

昆虫食の普及に力を入れている徳島大学では、２０２２年３月から、**コオロギを使った、口から摂《と》るタイプのコロナワクチンを開発中**です。

コオロギの体内でコロナウイルスの抗体を作るためのタンパク質を生成し、錠剤などにしたワクチンを飲むことで、腸の粘膜から取り込まれて体内に抗体が作られるという仕組み。子どもでも飲みやすいうえに、昆虫の養殖は政府の「ムーンショット計画」の一部なので、畜産枠で助成金が出るのです。

このように、同時並行で進んでいることを見ることで、そこに隠されたもう一つの狙いが見えてくるでしょう。

日本政府が推進しているのは、国民へのコロナワクチン接種だけではありません。コロナワクチンで緊急承認されて世界同時デビューした、未知の製剤「メッセンジャーＲＮＡワクチン」の国内生産拠点を作り、外資を誘致して経済活性化を図ろうとしているのが経産省です。

２０２１年５月。福島県南相馬市原町区に、同市から誘致されたアルカリス社がファイザーと同じｍＲＮＡワクチンの原薬製造工場を建設する計画を発表すると、経産省はその後２０２２年３月に日本国内のワクチン工場に最大９割の補助金を出すプロジェクトの公募を開始しました。

その結果、さまざまな種類の政府補助金対象に選ばれたアクセリードをはじめ、茨城県つくば市や兵庫県神戸市でもこの補助金を得たコロナワクチン工場の建設が始まり、経産省はさらに第２次募集をかけたのです。

２０１１年の東日本大震災で復興特区に指定された福島県は、ゲノム編集やデジタル都市など、最新技術を通して外資を誘致する新計画が着々と進められてきました。

福島の移住支援サイトでは、２０２３年７月に南相馬市で完成予定のｍＲＮＡ医薬品・ワクチン工場が「ゴールドラッシュのパワーツールを与える存在」として紹介されています。各種補助金や税金免除などの特典で企業誘致のハードルを下げ、現地工場を通じて被災者雇用を増やし、手厚い福利厚生で住民満足度も上げるという被災地復興計画は、「ゲノム」「デジタル」「ｍＲＮＡ」という三本柱を軸に展開しているのです。

ｍＲＮＡはコロナだけでなく、インフルエンザをはじめ他のワクチンにも適用できるため、**このまま進めば今後日本で私たちが慣れ親しんだワクチンが、一つずつｍＲＮＡワク**

チンに置き換えられていくでしょう。

今や収束モードの中で接種率が低下する世界の潮流と逆行するように、政府が自国民に接種を推奨し続ける日本。

ショック・ドクトリンにのまれないために、ｍＲＮＡ技術がノーベル賞最有力候補と言われる一方、「非常に危険」と警鐘を鳴らす専門家の声もあるという現実を、渦中にいる私たちは忘れてはなりません。

5 医療から「人間」が奪われる

最初はコロナ対策だったはずが……

接種記録や陰性証明を提示するデジタルワクチンパスは、コロナパンデミックの中、各国で賛否が分かれた政策の一つです。

アメリカではワクチンもパスも賛成派の民主党と、政府が個人の行動に介入することに反発する共和党の州で二極化し、欧州では経済活動の回復や移動の自由を取り戻すのに必要だという賛成派と、行動制限と差別につながることを不安視する慎重派で意見が分かれ、フランスでは大規模な反対デモが起こり、スイスでは国民投票にまでかけられました。

多くの国で反対派に共通しているのは、先ほど紹介した医師と同じ、「コロナ対策だったはずが、コロナ収束後もなし崩しにそれ以外の目的で使われ、政府権限が拡大していくこと」への懸念です。

心配しすぎでしょうか？　いいえ、その懸念はすでに現実になっています。

インドネシアでは2022年6月から、国が割安の補助金付き食用油を低所得者層に販売する際に、コロナで使った行動追跡アプリを使い始めました。アプリは個人情報と紐づいているため、個人の所得ゾーンが青や緑のランプで表示される仕組みです。

イギリス政府は、コロナ禍で導入されたワクチンパスの個人情報をどんどん更新し、今やワクチン接種情報だけでなく、**メンタルヘルスや生活情報、生体認証データに民族的出身、犯罪歴まで組み込まれる**ようになりました。

ノルウェー政府は、やはりコロナ感染拡大防止で導入したはずのワクチンパスに顔認証機能を搭載し、国民の食品購入履歴をすべて追跡、管理する準備をしています。

スマホやネットを使うたびに個人情報を収集するＧＡＦＡを規制する「ＧＤＰＲ（ＥＵ一般データ保護規則）」という法律が作られたＥＵでは、このように、デジタルワクチンパスが、便利さを理由にどんどん個人情報や公共サービスと紐づけられ、個人の主権が守りきれなくなるのでは、と警戒されているのでした。

個人番号や保険証、身分証をカードの形で持ち歩きたくない人が多い日本、すべてスマホに入れられるのもＧＡＦＡにデータを取られるのが心配というヨーロッパ、その両方の悩みを解決したのが、証明書ごと自分の体内に入れるというスウェーデンです。

デジタルパスのトップランナー国スウェーデンでは、皮下に埋め込む極小チップ型パスが完成し、すでに数千人が埋め込み済み。ストックホルム在住の看護師、エマ・オルソン氏は、2年前に手首に埋め込んだチップについて、こう言いました。

「カードや携帯は、落としたり、盗み見されるリスクが常にあるでしょう。体内に入れたことで、自分のデータを自分でコントロールできているという、究極の安心感を持てるようになりました」

エマさんのその言葉を聞きながら、我が家の2匹の猫たちの顔と、日本で新しく決まった法律を思い出しました。

ワクチン、ペット、最後は私たち!?

日本では2022年6月から、ペットの犬や猫の体内にマイクロチップを埋め込むことが義務化されました。直径2ミリ、長さ約1センチの小さなチップを、首から肩甲骨のところに注射器で挿入するのです。ペットショップなど販売業者は、犬や猫の生年月日と性別、毛色と品種、業者名を入力したマイクロチップをペットに入れなければなりません。犬や猫が迷子になったり捨てられたりしても、体内に入ったチップに機械をかざせば、飼い主がわかるというわけです。

世界経済フォーラムのクラウス・シュワブ会長は、私たち人間も、10年以内にはみんなこうしたチップを体内に埋め込むことになる、と断言していました。

考えてみたら、家電も今や遠隔で操作する時代。すでに技術は完成していますから、社会や家の中のスマート化が進めば、掃除ロボット、そしてペットのワンちゃんネコちゃんときたら、次は私たちということでしょう。

河野太郎デジタル大臣も、ワクチンパスを他の目的に拡大することに前のめりです。２０２３年４月に群馬県高崎市で開催されたＧ７デジタル・技術大臣会合では、ようやく世界で足並みが揃ってきたワクチンパスとインボイス制度などを成功事例として、さまざまな**デジタルサービスの世界統一をしていきたいという意欲**を示しています。

ショック・ドクトリンを仕掛けるのは、国や企業だけではありません。

過去に南米やアフリカ、ロシアなどで実施されたショック・ドクトリンの主要プレイヤーは、ＩＭＦや世界銀行という国際機関でした。

コロナ禍でＷＨＯが急ピッチで進めている、世界中を対象にした非常に重要なルール改正をご存じでしょうか？

簡単に説明するとこういうことです。コロナパンデミックのときは、ＷＨＯがいくら勧告を出しても、強制力がないために、各国がそれぞれバラバラに対策し、そのせいで救えるはずの命がたくさん失われてしまいました。今後も**人類とウイルスの戦いは続いていく**のだから、「コロナを反省材料にして、次は時間を無駄にせず、世界中が足並みを揃えて同じ対策を実行できるようにルールを変えましょう」というわけです。

どう変えるかというと、これまでは加盟国に対して、単なるアドバイスとしての勧告しか出せなかったのを、法的な強制力のある「命令」を出せる権限をＷＨＯに与えるのです。

国際保健規則という名の現行ルールの中から、「尊厳、人権、基本的自由」の文言を削除し、１８９の加盟国に、国民の健康診断・検疫・治療・隔離を各国に義務づける世界共通の「デジタル健康パス」を導入することができるようになります。

改正案は、このショック・ドクトリンの本命である、「パンデミック条約」の一部として出てきたものでした。

２０２３年2月1日にベースとなる草案が発表されると、即座にアメリカの保守系シンクタンクから「冗談じゃない、反対しろ！」と声が上がったのですが、日本では全く報道されていません。

パンデミックの裏でWHOが進める「医療ファシズム」

いったい何が、そんなに反対されたのでしょうか？

この条約に加盟国がサインして締結されることで、WHOに与えられる権限のリストを見てみましょう。

・次回のパンデミックの決定
・ロックダウンの指示
・監視する権力の保持
・治療法の決定
・ワクチン接種の義務化
・ワクチンの配布と管理
・感染症の治療方法の決定
・ワクチンの知的財産と利益の管理
・土地の利用変更と差し押さえの決定

単なるいち国際機関のWHOに、大統領や首相より強い権限を与えるなんてとんでもない！　そんなこと許されない！　と思いませんか？

TPPを思い出してください。

今の国際法では、こうした国際条約は、各国の法律や憲法の上に位置することになっているのです。たとえその国の国民の人権や自由が失われたとしても、命に関わるパンデミックという緊急事態下では従わなくてはならず、国は手を出せません。

ただし、現時点でのこの草案には、大変危険な一文が含まれています。

「今のWHO代表が署名した瞬間に、この条約は暫定的に有効になる」

今の代表といえば、テドロス事務局長。彼は今、世界各国に、熱心にこう呼びかけています。

「コロナパンデミックの失敗を繰り返さないよう、今こそWHOの下で、世界が一丸となりましょう」

コロナ禍でコロコロ言うことを変えて抑え込みに失敗したうえに、**個人的に利害関係がある中国に忖度を繰り返しているテドロス事務局長**のこの呼びかけに、「どの口が言うのか」とあきれた声が出ているのは、無理からぬことでしょう。

そのテドロス事務局長が、この草案に一筆名前を書いたら最後、日本の国会承認などもういりません。

私たちの代表である国会議員たちが条約の中身を話し合い、日本がこれに批准《ひじゅん》するかどうか決定し、それから代表が署名する、という通常のプロセスは吹っ飛んで、自動的に日本はＷＨＯの指示下に入ってしまうのです。

ＷＨＯや、世界中をワクチンで救うことを目指すマイクロソフト創業者で慈善家のビル・ゲイツ氏は、パンデミック条約で、世界はウイルスに負けない、より安全な場所になると言います。

でも本当にそうでしょうか？　新型コロナウイルスが登場するや否や、即座に国境を閉鎖し、感染者が増えたときもワクチンではなく漢方薬で切り抜けた北朝鮮や、ワクチンや薬ではなく在来種の果物で重症化を防いだアフリカの国々、まずは食事と運動で免疫を上げるよう政府が国民に呼びかけて感染・死亡率を抑えたキューバからは「地元産の木の実でつくった粉末をお茶にして飲み、３日で治した」という報告もありました。

ＷＨＯが言うように、すべてが失敗だったわけではありません。独自の対策でちゃんと乗り切った国々もたくさんあったのです。

過去の歴史が示しているように、データの一元化は便利になる一方で、誰がどう使うかというルールが曖昧だと、あっという間に国民を都合よく管理したい政府や、そこから儲けることしか考えていない「今だけカネだけ自分だけ」の強欲軍団に悪用されてしまうでしょう。

ましてや今はデジタル時代、個人データ＝私たちの最大資産ですから、コロナを理由にどんどんデジタル化しようとする流れには注意しなければなりません。それはやがて、他の目的に拡大されていくからです。

特に命に関わる医療分野は、恐怖や不安を煽られるのでつい急かされてしまいます。スピードが命のショック・ドクトリンにのまれないよう、現場の医療関係者の声に耳を傾け、他国の事例や市民の声を知ってから慎重に設計することが、私たちの身を守る「急がば回れ」の道なのです。

コロナショックから覚醒した人々が、世界のあちこちで立ち上がる

パンデミックという世界的ショックに放り込まれ、恐怖で思考停止している間に必要工程をすっ飛ばしてスピード開発された治験中のワクチンを、各国政府が巨額の税金で購入。

その結果、ワクチンメーカーが史上最大の利益を得る一方で、感染予防も重症化抑制も宣伝されたような効果はなく、むしろ**接種者の感染率は依然高く、重い副作用や死亡するケースがあちこちで増大**しました。

当局のデータ改竄《かいざん》が暴露され、専門家の利益相反が明らかになる中、世界各地でコロナショックから覚め、おかしいと気づいた人が次々に立ち上がり始めています。

２０２３年3月。カナダ下院の公共会計委員会は保健省に対し、コロナワクチンについてファイザーと結んだ50億ドル（約５０００億円）の契約書提出を義務づける決議をしました。

これについてファイザーの幹部は、「権力の乱用だ！」と激しく抵抗。もし議員たちがワクチン契約の解除に投票したら、カナダの国際的評判は下がり、外国からの投資も減ることになるぞ、などと警告しましたが、議員たちは脅しには乗らず、こんな風にはっきりとした態度を示したのです。

「契約書を出せ、話はそれからだ」

また、カナダではコロナ対策を理由に憲法を無視した首相にもお灸《きゅう》がすえられました。

43歳の若さで首相に就任したジャスティン・トルドー氏。多数のシリア難民を快く受け入れたり、閣僚の半数を女性にするなど、日本でも好印象な報道が多い政治家です。

しかしコロナ禍でワクチンパスを発端に暴走し大炎上、国中を巻き込む大きな事件に発展したことは、日本ではあまり知られていません。

ことの起こりは、コロナ対策で導入したワクチンパスでした。自宅待機できない職業の人たちは除外されていたのですが、トルドー首相がこれを「トラック運転手にも義務化する」と言ったことでトラック運転手たちが激怒。毎日のように国境を越えて物資を運ぶ彼らにとって、ワクチンパスがないと国境で止められてしまったら仕事ができません。

実際にはトラック運転手はほとんどが数回接種済みだったのですが、コロナを理由に国民の生活に介入してくる政府のやりたい放題に堪忍袋の緒が切れて、一斉に首都に向けて走り出したのです。数千台のトラックが高速道路を塞ぐ光景は圧巻でした。

初めはトラッカーだけだったのが、同じようにパンデミックをたてにどんどん行動制限してくる政府にうんざりしていた一般市民が賛同し、炊き出しをしたり毛布を提供したりと、輪が広がっていったのです。

これを見たトルドー首相は、彼らの声に耳を傾けるどころか、強硬手段に出たのでした。

緊急事態法を発動すると、トラック運転手と彼らを支援した国民の銀行口座を凍結したのです。まさに、ショック・ドクトリンでした。これは大騒ぎになりました。

何よりも、緊急事態法によって政府が勝手に口座を凍結できる、ということにショックを受けた人々が、**パニックになって国内外から銀行に殺到、取り付け騒ぎが拡大し大混乱**になりました。

大迷惑を被った金融機関は猛抗議。銀行家たちを怒らせるわけにはいかず、トルドー首相は緊急事態法を解除せざるを得なくなったのでした。

安全だと言い続けるなら情報公開を

これは果たして、海の向こうの他人事でしょうか？

私たちは、今のうちに考えなければなりません。

なぜ、トルドー首相は、トラック運転手に寄付をした人間を特定できたのか？　なぜ、彼らの銀行口座を把握していたのか？　「緊急事態宣言」が、権力者に与える権限とは何か？　なぜ、感染症対策と言いながら、現場の医師たちの声が無視され、病院が追い詰められ、どんどん裁量を奪われているのか？　なぜ、私たちの身体に関する決定権を、ＷＨＯがデジタル管理することが、世界を救うことになるのか？

マイナ保険証は、作らなければ機能しません。私たちの命と健康についての大切な医療情報は、いつどこで誰が、どういうルールで使うのかがはっきりするまで、安易に出さないでください。

カナダで取材した女性の１人は、「なぜトラッカーたちの応援を？」という私の質問に、こう答えました。

「命に関わる感染症を理由に、政府が国民の不安につけこんできたとき、アラームが鳴ったんです。憲法を踏みにじるほど政府が暴走したときに立ち上がるのは、自分のためというより、この先を生きる子どもたちに対する、私たち大人の責任ですからね。だから『ノー』と言ったんです。後悔しないために」

日本でも２０２１年６月に、国内の医師ら４５０人がワクチン接種中止を求める嘆願書を提出。その後も全国に有志の医師団体が立ち上がり、コロナワクチンの効果とリスクについて国民に呼びかけています。

２０２２年８月には、**同じ苦しみを味わった薬害エイズ事件や薬害肝炎の被害者団体**が厚労省を訪れ、薬害撲滅の誓いの碑の前で、加藤勝信厚生労働大臣に、コロナワクチンの接種記録と診療情報などを紐づけて、ワクチンの有効性や安全性を評価できるデータベース構築を要望しました。

その結果、政府から２０２５年度までにデータベースを構築する方針が示されたのです。

２０２２年10月。このワクチンで家族を亡くした被害者遺族12人が「コロナワクチン被害者遺族の会」を結成。真実を伝えたいとするドキュメンタリー映画を作成して各地で上映し、２０２３年４月の時点で２人目のワクチン被害者が認定されました。

河野大臣が「接種後に死んだなどというデマに惑わされないでほしい」と呼びかける一方で、認定された遺族はＳＮＳで大臣にブロックされていることを暴露、担当大臣として被害者の声に耳を傾けてほしいと訴えています。

まだ治験中の薬剤を奨励する以上、政府は安全だと言い続けるだけでなく、徹底した情報公開と予防原則、現場の声に誠実に向き合うべきでしょう。

２０００人超の死亡報告、２万６０００人超の重篤報告……それでも厚労省は「懸念すべき特定の症状はなし」という報告をしているのです。

２０２２年11月、「新型コロナワクチン接種と死亡事例の因果関係を考える勉強会」の席で、薬害防止の科学と研究・教育に尽力してきた福島雅典京大名誉教授は、厚労省、マスコミ、国会議員を前に「薬害を根絶しなきゃいけないのに隠蔽してどうするんだ！」と怒りを表明。この動画はYouTubeからすぐに削除されたものの、複数の言語で字幕がつけられ、２００万回以上再生されました。

彼らは**ワクチンの購入契約書や、有害事象の全データ開示を要求する**も、厚労省はこれを拒否。アメリカでの裁判で負けたファイザーが全資料を公開していることを挙げ、日本も同じように公開し、科学的に検証する必要性を訴えたものの回答がなかったため、２０２３年2月に国相手の訴訟が始まったのです。

福島教授が記者会見でこう言ったとき、19歳のときに薬害で国を訴えた夫の姿と重なりました。

「訴訟とは、あるはずのデータを求められて、『開示しません』と答えた国に対する、一つのケジメなんです」

こんな風に歴史の輪が閉じる瞬間を、9・11後の世界で、いくつ目にしたことでしょう。

命に関わる情報には、値札がついているのです。

私たちが立ち上がって手を伸ばさなければ、簡単に霧の中に消えてしまう。大切なものを守るために、アンテナを立て続けなければなりません。

第3章

脱炭素ユートピアの先にあるディストピア

「森を切り開いて太陽光発電施設を作らせることは、
山梨では今後はない。
訴えられるリスクなど恐れない。
最高裁判所判例を作る覚悟で臨む」
——長崎幸太郎（山梨県知事）

1 地球を救う街は都市収容所!?

イギリス発、2023年最もホットな陰謀論

２０２３年２月18日。

イギリスのオックスフォード市で、12歳の少女が大勢の聴衆を前にこう訴えかけていました。

私は、この地域がもうすぐデジタルＩＤ顔認証地域の「15分都市」になることについて、たくさんの人が感じているだろうことを話します。

そこでは、こういうことが起きるんです。

たとえば、私がエリア1に住んでいて、エリア3に住む友達の家に行くとします。

今までなら**両親が車で送ってくれて、10分もかかりません**でした。

でもこれが「15分都市」になると、環状線をぐるっと回って、また街に戻らなくちゃならないんです。そしたらどんなに急いでも30分はかかるし、第一そのほうがずっ

とたくさんの二酸化炭素を出しちゃいますよ。

そう聞いたら、なんて言われたと思います？

「大丈夫、家まで歩いて帰ればいいよ！」

あのう……それ、大丈夫ですか？

12歳の私が、暗い夜道を一人で歩いて帰る。本当に大丈夫でしょうか？

でもね、「15分都市」では、こう言われるんです。

「大丈夫ですよ、全く心配ありません」

「街中に設置してある１０００台のカメラが、ずっと一緒ですから。あなたの姿を追い続け、家につくのを見届けるまで、ちゃんと追跡してくれるからね」って。

本気ですか？　私が一日中監視されたいとでも思ってるんですか？　マジですか？

何千台ものカメラに、家にたどり着くまでずっと、監視され続けるって……？

ちなみに、言っておきますが、私はこれが安全だとは思えません。だって、いくら１０００台のカメラが見てくれていても、私を攻撃しようとする人がいたら、止められないじゃないですか。

自由とプライバシーを放棄してでも手に入れたい安全って何でしょう？

12歳の私は今、自分の将来が本当に心配です。

（世界経済フォーラム会長の）クラウス・シュワブさんには、こう言いたいです。

「全くよくも、こんなことを！………よくもまあ！」

私の貴重な子ども時代、私の未来、そして私の子どもたちの未来を、あなたの常軌を逸《いっ》した**デジタル刑務所に私たちみんなを閉じ込めて奴隷にする**ことで奪おうなんて！

この先の何を心配してるかって？

私たち子どもはバカじゃない。みんなもうわかっています。これは、15分で移動できる狭い空間から始まる、ディストピアの第一歩なんだってことを。小さな種から、だんだん大きな木が育っていくみたいに。

気候変動のため？　違うでしょう？

戦争も飢餓もホームレスも全部、原因は一つですよ。自分とお金儲けのことしか考えてない大人たちのせいです。

気候変動を、私たちをコントロールするための理由に利用してる。私たちの行動、思考、発言の、すべてを完全にコントロールしたいと思っているんです。

イギリスの政府は、政治家のふりをした、強欲で自分やお金のことしか考えない、ニセモノたちに乗っ取られてしまいました。

彼らは、自分たちが私たちよりも頭がよくて優秀で、上に立つ主人だと思い込んでるのです。本当は、自分たちが、私たち市民に奉仕する立場なのに。

私の将来の夢は弁護士です。でもその前に、私たちの憲法を元に戻すよう、あの強欲な人たちに要求しなくちゃなりません。

今、この問題をなんとかしないと、間に合わなくなってしまう……。

みなさん、聞いてくれてありがとうございました。

マイクを持って話していたのは、12歳の少女ジャスミン。

２０２２年11月に州議会で成立した新しい法律「15分都市」に関するイベントで、住民の１人として発言したのでした。

彼女が話し終わると、聴衆から大きな拍手と歓声が上がり、ＳＮＳに投稿された動画は瞬く間に拡散。Twitter再生数は50万回を突破して、今も伸び続けています。

その後、同じように反対する数千人の住民が、通りに出て声を上げる姿を街中に設置された監視カメラが捉え、あっという間に警察が出動、5人が逮捕されたのでした。

区域外に出られるのは年間100日まで

12歳の少女の訴えで大きな話題になったこの出来事を、主要メディアの論調は「2023年で最もホットな陰謀論」として辛辣《しんらつ》に取り上げ、ジャスミンは「妄想に取り憑《つ》かれた残念な女の子」「右翼版グレタ・トゥーンベリ」などと批判されました。

「陰謀論」という言葉を散りばめたのは、米ニュース大手のCNNです。

同ニュースサイトは、この法律に反対する声がイギリス議会でも出たことに触れ、「政治家が陰謀論に言及し」などと批判、住民たちの反対デモについても、「ネット上の陰謀論が現実の抗議運動に発展した」と否定的な論調で報道したのでした。

問題になった「15分都市」とは、いったい何でしょう?

この法律はまず、オックスフォードシャーの街を6つの区域に分け、すべての**主要道路に電子ゲートを設置して、住民たちの車移動を制限**します。

住民が自分の区域から出たい場合は、州の評議会に申請し、許可をもらわなければなりません。

その際、どの住民が許可をもらえ、誰が却下されるかは、州の評議会が審査して総合的判断で決定するので、申請するためには自分の車の詳しい情報を事前に登録しておく必要があります。

区域外に出る許可の上限は、オックスフォード市民は年間１００日、オックスフォードシャー州民は25日まで。

住民が許可を申請し、受理され、審査に通り許可証をもらって出入りした日時や距離などの詳細まで、すべては州にデジタルデータで記録されていきます。

すべての車のナンバープレートにはモニターを設置しなければなりません。誰がどれくらいの距離を移動したかがリアルタイムで監視され、許可なく他の区域に出たり、市が決めた以外の時間に車を使うと罰金、自宅に請求書が送られてきます。

ちなみにここでいう車とは、ＥＶ車が基本です。

オックスフォード市はまた、２０２２年2月から、**ＥＶ車以外の車から１日単位で特別料金を徴収する**「ゼロエミッションゾーン（ＺＥＺ、排出ガスゼロ区域）」の実証実験を市内９つの道路で開始しています。

道路に設置されたカメラが車のナンバープレートを読み込み、走行した車がＥＶ車でなければ課金。６日以内にオンラインで料金を払わなければなりません。

排出量に応じて、３００円、６００円、１５００円と高くなり、２０２５年以降は倍の金額に。６日を過ぎると９０００円から１２０００円という高い延滞金が加算されていくという容赦ない取り立てシステムですが、段階的に全市内に広げる予定です。

「15分都市」も低炭素排出区域を作ることが目的ですから、ガソリン車は処分しなければならないでしょう。

「買いかえるお金がない住民は、徒歩での移動しか選択肢がないのか！」という怒りの声も上がっていますが、行政側は、そもそも「15分徒歩圏内に必要なものがすべて入った街」を推しており、２０２３年からは市街地にまでＺＥＺ拡大を予定しています。

コロナ禍のロックダウンは「15分都市」の予行演習だった!?

「15分都市」という言葉の名付け親は、パリ在住でソルボンヌ大学のカルロス・モレノ教授でした。

職場や学校、病院に食料品店、娯楽施設など、生活に必要なものがすべて徒歩15分圏内、近距離で車を使わずに済むために、人にも環境にも優しい持続可能な都市計画として「15

分都市」を提案したのです。

この考えは、二酸化炭素（CO^2）の温暖化リスクを議論する国連気候変動枠組条約第21回締約国会議（COP21）で発表され、モレノ教授の住むパリをはじめ、コペンハーゲン、アムステルダム、オスロ、メルボルンやシンガポール、オタワやトロント、バルセロナやポートランドなどの地域でも関心が持たれましたが、当時「15分都市」は、まだそこまで緊急性の高いものとされていませんでした。

２０２０年までは。

突如「15分都市」がgoogle検索の上位に跳ね上がったのです。

最大ピークは11月、パンデミックによるロックダウンが世界中で行われていた時期でした。自宅から出られず、職場にも行けず、食料品はデリバリーで、遠くに遊びに行くこともできず、年老いた親を病院に連れていくのも一苦労。パンデミック宣言から数週間で、多くの国では食料配給所の前に長蛇の列ができ、たくさんの人が生活費を得る手段を断たれていたのです。

ネットには消耗した人々の声が多数上がりました。

「ああ、職場も学校もスーパーも病院も、全部1か所にあったらいいのに！」

世界経済フォーラムの都市改造部門を担当するリサ・チェンバレン氏は、**ロックダウンのおかげで必然が生まれたのだ**、と強調しています。

「コロナ禍は私たち人間に、社会を作り変えるべきだと言っているんです。パンデミックで、誰もが自宅やその近所から出られなくなったからこそ、単に『必要なもの』だった『15分都市』が、『生死に関わる必然』になったのですから。今こそ、世界中が導入するべきなのです。世界中の26億人がロックダウン状態にある今、私たちは間違いなく史上最大の心理的実験をやっているのですから」

この年、パリの市長選に出たアンヌ・イダルゴ市長は、「15分都市構想」を公約に掲げ、見事再選されました。

石油燃料に依存しない、持続可能な都市構想は、皆が幸せになる社会を作る美しいアイデアなのに、なぜ反対の声が上がるのでしょう？

推進派は理解できない、と首をかしげます。地球を汚すガスを撒き散らす暮らしを、その前の時代の、もっと自然で無理のないスタイルに戻すだけなのに。

２０２３年2月。イギリス保守党のニック・フレッチャー議員は、15分都市計画について個人の自由を制限するリスクを検証すべきだと議会で発言しました。

オックスフォードの路上でジャスミンが批判した「デジタル刑務所」という言葉は、バカバカしい、と冷笑されます。ジェレミー・ベンサムの考案した、全方位から監視される刑務所「パノプティコン」じゃあるまいし、と。

でも、本当にそうでしょうか？　反対している住民は皆、頭のおかしい右翼の陰謀論者なのでしょうか？

ベンサムが生きていて、母国イギリスで起きていることを知ったら、さぞ驚くことでしょう。たしかにベンサムの時代は今と違って、有害なガスを出す車も、交通渋滞もありませんでした。

けれど、私たちは見落としてはなりません。

巨大なソーシャルメディアプラットフォームが日常の隅々にまで入り込み、四六時中ユーザーの行動を追い、個人データを収集し、最高入札者に売却すること。私たちがすでに、デジタルパノプティコンの世界に住んでいるという、もう一つの重要な事実を。

2秒でホームレスにされる若者たち

世界中でロックダウンが行われ、検索ワードのトップに躍り出た「15分都市」。温室効果ガスを出さず、人と環境に優しくて持続可能なこの計画を、ちょっと別の角度から見てみましょう。

コロナ禍で感染拡大防止のために、多くの国が導入したワクチン接種証明を表示するデジタルパス。これをスマホアプリで管理した中国で、全く違う問題が起こっていたのをご存じでしょうか？

中国はデジタルテクノロジーと顔認証、監視カメラの配備で、世界で最も完成された社会信用システムを導入しており、その「15分都市」の精度の高さは、世界経済フォーラムからも一目置かれています。

たとえば、何百棟もの集合住宅に何万人も住むある団地では、感染予防のために、入り口で顔認証と、48時間以内のＰＣＲ検査結果が表示されるＱＲコードをかざさないと入れません。公共交通機関を使う際にも提示しなければならず、仕事や買い物など生活の中で移動するには、**３日おきに約５０００円の費用を払って検査結果を登録**しておかなければなりません。

検査登録の更新をミスしたために、自分のアパートに入れなくなった若者たちが、「2

秒でホームレスになった。どこにも行けない、お手上げ……」と嘆く様子をSNSに投稿する姿は、まるで近未来の象徴のようです。場所によっては、公衆トイレでトイレットペーパーをもらうにも必要な顔認証は今や必須アイテムでしょう。

あらゆる情報がデジタルで紐づいている中国では、政府がボタン一つで、緑だったコードを赤や黄色に変えることもできるのです。

信号無視や各種支払いの延滞などで点数が上下する社会的信用スコアと紐づければ、遠隔操作でいくらでも行動制限されてしまうことは想像に難くありません。実際、信用スコアが低いと学食で選べるおかずの質が下がるなど、すでにさまざまな実証実験が始まっているからです。

体制批判をすると信用スコアが下がり、電車や飛行機の切符が買えなくなるなど日常生活が不便になるため、直接統治しなくても、国民が自ら言動に注意を払い、秩序が守られる。有害なガスを出すと罰金を払わされるゼロエミッションゾーンと同じ、行動制限をする共通のメカニズムがわかるでしょうか？

ショック・ドクトリンの特徴の一つは、**緊急事態を理由に導入されたシステムが、平時になった後も撤去されずにそのまま残され、いつの間にか定着してしまう**ことです。

ゼロコロナ政策を緩和した直後、中国人民銀行の副総裁が、CO_2排出量規制の必要性に言及していました。

「ゼロコロナ」が「ゼロエミッション」に上書きされる日は近いでしょう。

現代の都市計画は、デジタルテクノロジーと切り離せません。だからこそ「脱酸素」という理想VS陰謀論の二元論にすり替えさせず、「誰が」「どう使うか」というルール設定をしっかりと注視しなければなりません。

2　環境に優しい生き方が強制される!?

大阪メトロの顔認証は法規制なし

２０１９年12月から大阪で顔認証改札機の実証実験を始めたのが、前年民営化された地下鉄、大阪メトロです。事前にサーバーに顔写真を登録しておけば、改札機のカメラに映った顔が本社サーバーの画像と照合され、１秒で改札が開く仕組み。

個人を特定する顔認証システムはデータが盗まれたときの被害が大きく、導入前に管理方法を設定しておかないと人権問題になってしまうため、諸外国では厳しく規制されています。

たとえば、韓国のソウル郊外にある富川《プチョン》市では２０２３年１月から市民80万人の監視が開始されました。市内に設置した数千台の監視カメラに搭載された顔認証ソフトとＡＩで、誰と誰が接触しているか、移動経路、マスク装着の頻度などを保健局が追跡するのですが、このシステムの導入に対して人権団体や与党議員から、監視社会化することへの懸念の声が上がりました。

顔認証の精度の高さに定評があるのは、イギリスやアメリカ、オーストラリアなどの警察当局をはじめ、世界70か国以上に顔認証システムを販売している日本のNECの技術でしょう。

でも、「便利」な技術は諸刃《もろは》の剣です。韓国の与党議員が警戒するように、欧州議会ではプライバシー侵害への懸念から、生体認証による遠隔監視の禁止が検討され始めました。人権問題以上に怖いのは、外国製のソフトウェアです。

アメリカは、世界中どこにいても、自国政府に要求されれば全データを提供する義務がある中国系企業への警戒を強めています。若者に人気の中国製動画アプリ**TikTokは、アメリカ国内でユーザーの顔写真や声紋収集行為が訴えられて敗訴**しました。顔の生体識別データは偽造が難しいため、特に悪用されるリスクが高いのですが、日本ではこうした生体データの扱いに関する危機感も、個人情報保護の議論も、メリットが強調されるばかりでまだまだ高まっていません。

第1章に出てきた、日弁連の意見書を思い出してください。

①同意のない顔認証データベースの作成とシステムの利用禁止

②行政や民間企業が顔認証データベースを作って顔認証システムを使うときの厳しいルール設定
③個人情報保護委員会による監督
④顔認証システムの基本情報公開
⑤誤登録された人の権利保護を含めた厳しい規制の設定

万博ファーストの大阪では、２０２４年末までに大阪メトロの全駅に導入すべく急ピッチで進められていますが、今の日本はマイナンバーをはじめ個人情報が漏れ放題ですから、大阪府民のみならず私たちも慎重に考えたほうがいいでしょう。

２０２２年５月に、ソフトバンクが日本国内のイオンモールに設置した顔認証とＡＩによる検温システムは、アメリカ政府が制裁中の中国企業、センスタイムの技術でした。０・５秒で２０００個の特徴を抽出《ちゅうしゅつ》し個人を特定する同社の技術は、総務省や農水省、文科省でも使われていますが、なぜ行政は世界トップ技術を持つ国内企業を使わないのでしょう？

少なくとも「選択肢を残してもらう」「データの扱いに関するルールを入れてもらう」

というところは譲ってはなりません。

紙の資格証を残してもらう、マイナ保険証と一緒ですね。

データを制するものが覇権を握るデジタル時代、日本と違って、世界は「自国ファースト」に向かっているのです。

「マイナンバーカードと紙の保険証、両方使えるようにしておいてほしい」と意思表示しましょう。

他のものをすべて廃止して一択にすることは、従わざるを得なくするショック・ドクトリンの常套《じょうとう》手段だからです。

関西方面の人は特に、大阪メトロにも①〜⑤についてぜひ確認してみてください。

気づいたらいつの間にか問答無用で変えられていた、ということにならないよう、**選択肢を残すことは、私たちが身を守るためにとても重要**だと覚えておきましょう。

「炭素トラッカー」で信用スコアがつけられる

温暖化防止のために、個人が出すCO_2を管理する計画も話し合われています。

２０２２年の世界経済フォーラムで、中国のアリババグループ社長Ｊ・マイケル・エバンス氏は、「個人用炭素トラッカー」の開発を発表しました。

これを使うことによって、持ち主が、いつ、どこからどこへ、どんな手段で移動し、何を食べ、オンラインで何を買ったかが追跡できるというものです。

アリババは中国の企業ですから、中国本土では中国人民銀行副総裁が言ったように、国民の行動を誘導することに使われていくでしょう。

もちろん、エバンス氏の話を聞いている世界経済フォーラムメンバーがイメージしていたのは、私たちが考えるようなスマホではありません。

シュワブ会長がいつも言う、手首に埋め込まれたマイクロチップのほう、これならどこに行くにも忘れる心配はなく、24時間CO_2の排出量がモニターされますからね。

アリババだけではありません。車や自転車、徒歩などの移動手段を、**GPS情報とスマホに内蔵された加速度センサーなどを用いて自動判別**し、CO_2排出量を「見える化」。マイクロソフトとFacebookの出身者らは、CO_2排出量削減のために「Aerial」という脱炭素アプリを開発しています。

このアプリはGoogleアカウントと連動し、メールボックスから、飛行機・鉄道・車の利用履歴を自動でスキャンし、移動で出したCO_2を集計してくれるもの。

さらに、CO_2の排出量が多かった月には、自分のクレジットカードで「温暖化防止プロジェクト」に投資できるという「個人版排出権取引」のようなシステムです。

排出権取引っておかしくないですか？

「排出権取引」という言葉を聞いたことがありますか？

国や企業ごとにCO_2やメタンガスの排出量を決め、排出量の枠が余っている国や企業と、枠が足りない国や企業との間で温室効果ガスを出す権利を売買する制度。京都議定書の第17条にも規定されています。

でも、これっておかしいと思いませんか？

だって、お金を出して排出権を買えば、CO_2を大量に出しても許されるのですから、少しも環境に優しくないですよね。

私が昔働いていたウォール街では、排出権は巨大な利益を生む超優良商品でした。国際会議で脱炭素の数値目標が作られてしまっている以上、どこの国も企業も莫大なお金を払って排出権を買うからです。

パリ協定では、GDP第2位の経済大国になった中国は途上国扱いで、2030年まで減らさなくていいなどおかしなルールになっていて、アメリカは「不平等だ！」と抜けてしまいました。

そもそも、「CO_2（温室効果ガス）による地球温暖化」という評価は、元アメリカ副大統領アル・ゴア氏がドキュメンタリー映画『不都合な真実』で衝撃的に打ち出し、気候変動に関する政府間パネル（ＩＰＣＣ）がそれを支える形をとって、各国メディアが繰り返し報じてきたもの。一方、これ自体が科学的評価ではないとして、世界の多くの科学者が疑問視しています。

たとえばＩＰＣＣの報告書は、「温暖化で北極の氷が解け、シロクマが絶滅する。南極の氷も解けて、海面上昇によって２０００年までに多くの国の沿岸の主要都市が水没する」と警告してきましたが、現在シロクマの数は20年前の20倍になり、ＮＡＳＡの衛星観測によれば南極の氷は増え続け、毎年最高記録を更新、加速度的な海面上昇も起こらず、ツバルなどポリネシアの島々は、水没どころか面積を広げていることが明らかになりました。

２０２３年2月にアメリカ海洋大気庁が公表した**ＮＡＳＡの最新データは、地球が過去**
8年ずっと冷え続けていることを示しているのです。

異常気象はたしかに悪化しているのですが、その主要な原因が二酸化炭素だという説は、まだ激しい論争が続いており、科学的な証明がされていません。

バイデン大統領は、就任してすぐに温暖化防止の国際的枠組みであるパリ協定に復帰し、２０５０年までのカーボン・ニュートラル（CO_2の排出と吸収が相殺《そうさい》される状態）と、４年で２兆ドル（約２００兆円）の環境予算を打ち出しました。

これを受けて日本政府も後に続き、２０５０年までにカーボン・ニュートラルを実現し、再エネを電力の50～60％に引き上げる方針を表明したのです。

このカーボン・ニュートラルを、２０５０年までにアメリカ、日本、ＥＵ、２０６０年までに中国で実現しようとすると、投資額はこの４地域だけで８５００兆円。排出権取引のファンドを所有しており、当初から莫大な利益を得ているために各方面から利益相反を指摘されているアル・ゴア氏をはじめ、世界中の投資家が目を輝かせる姿が見えるでしょうか？

行動アプリがマイナンバーと紐づいたら？

ニューヨークの大手環境団体のメンバーである私の友人は、炭素トラッカーに大いに期待を寄せており、こう言って勧めてきました。

「CO^2の排出量を見える化するアプリを使うことはすごく大事。どんなにキャンペーンをやったって、多くの人にとって環境問題は他人事だったけれど、これでようやく自分ごとになる。一人一人が地球や他の命のことを意識して、ほんの少し行動を変えることで、未来は大きく変わっていく」

嬉しそうに話す友人にうなずきながら、私の頭に違和感とともに浮かんだのは、河野太郎デジタル大臣がテレビで着ていた、黒いTシャツの文字でした。

「そうだ！　マイナンバーカード取得しよう」

今まで炭素トラッカーというのは、企業や行政機関が対象だったのです。それが個人になるということは、企業活動ではなく、食べたり移動したりといった、日常生活の中の行動が対象になるのでしょう。

頭の中でアラームが鳴りました。

炭素トラッカーで温室効果ガスを出す行為を減らすのは素晴らしいのですが、脱炭素キャンペーンに力を入れる今の政府が、今後もしマイナポイントのようなキャンペーンを始めたら？

銀行口座と紐づいているので、スピーディに換金されるかもしれません。けれど企業が排出権を売買するように、個人もスコアを売買するようになったとき、私たちは食べる、買い物をする、公共交通機関を使う、などの日常行動をするために、権利を買わなくてはならなくなるでしょう。

もし、政府が価格を値上げしたら、どうなるでしょうか？

外国ではすでに始まっています。

２０２２年２月。カナダでは国内最大規模の自治体の信用組合が、持ち主の炭素排出量を計算するクレジットカードを始めました。世界経済フォーラムでは、近々温室効果ガスを出すような消費をカードで決済した際に、その場で利用停止になる仕組みを検討していることを明らかにしています。

オランダの銀行ラボバンクは、全国民に毎月決まった排出量以上を出さないよう、個人が生活の中で排出権を売買する社会システムの構築を進めています。

たとえば**旅行に行きたいお金持ちが**、**旅行に行くお金のない貧困層から排出権を買う**というこのシステム、何かおかしいと感じるのは私だけでしょうか？

マイナンバーや顔認証、炭素トラッカーのように、個人情報と行動記録が連動するようなアイテムは、新しいからと安易に飛びつかず、立ち止まってルール作りの段階で慎重にチェックしたほうがいいでしょう。

「地球環境を守る」のような美しいスローガンと結びついたときほど、制度設計はシビアに見なければなりません。

太陽光パネルが暴力になる

「屋根が発電するのが当たり前、という機運を醸成したいと思っております」

２０２２年９月。

会見でそう発言した東京都の小池都知事は、２０２５年から、新築戸建て住宅には太陽光パネルの設置を住宅メーカーに義務づける方針を発表しました。

東京都としては、太陽光パネルで脱炭素を達成し、良質な都市環境を実現すると豪語します。

でも本当にそうでしょうか？

この決定に、都議会与党の自民党議員ですら疑問の声を上げていたのは、太陽光パネルが、製造と廃棄、災害時のリスクなど、近年次々に問題が出てきている商品だからです。

まずパネルを作るのに多大なエネルギーを使うため、この時点でCO_2をたくさん出してしまいます。生産国によって差はありますが、問題は、**太陽光パネル市場の8割を、環境規制が世界でもダントツにゆるい中国の製品が占めている**こと。

中国本土で、工場近くの川に有毒廃棄物をじゃんじゃん流して近隣住民に訴えられているギンコ・バイオワークスなどは典型例の一つでしょう。

一枚一枚のパネルが薄いのも心配です。強風が吹けば簡単に吹き飛ばされ、豪雨にあたればはがれ落ち、大雪が降れば壊れてしまう。一番怖いのは、外れても発電し続けるので、自然発火するリスクや、台風などで浸水した上に落っこちたら感電する可能性もあることです。たとえ災害時に救出に来たプロの消防士でも、危なくて下手にさわれません。

さらに寿命が来たら地面に埋めて廃棄するのですが、今の時点でもすごい量のパネルがどんどん設置されているので、どう考えても処分場自体が足りません。

そもそも、アルミフレームを分解する人件費が高すぎて、政府から補助金でも出ない限り、リサイクル業者にとってはビジネスとして成り立たないのです。

そうなると、個人で処分する高額費用は、持ち主が全額負担する他ないでしょう。

実際、これは世界中でも問題になっていて、国際再生可能エネルギー機関によると、使わなくなった太陽光パネルのうち、リサイクルされているのは10枚中たった1枚だけ。部品に使われている有害物質の処理方法は、世界にまだ存在しないのです。

早い時期に太陽光発電を導入した米カリフォルニア州では今、カドミウムなどの有害物質の処理が大問題になっています。

２０４０年頃には最大80万トンのパネルがゴミになる試算ですが、このままでは、有害廃棄物なのに処分代をケチってこっそり不法投棄する人が少なからず出るでしょう。

また、今の日本の森林法では、悪質な事業者がやりたい放題していると地元民が行政に訴えても、許可を取り消すための規定が存在しない（第10条の2）ので、無法地帯になってしまっています。

初期の設備投資と非効率な発電、そして廃棄物処理費用……コストがバカになりませんから、たとえば東京都の場合、再エネでない通常の電気代が高くなってしまいます。廃棄費用がかさんでくれば増税になるでしょう。

光熱費や税金が上がって住みづらくなると不動産価値が下がるので、即座に外資が手を伸ばしてきます。

円安の今、**日本の不動産は中国人を中心に外国で大人気ですから、都内の土地にどんど**

ん大セールの値札がついてしまうでしょう。

太陽光パネルは、国の固定価格買取制度（ＦＩＴ）で地主と業者は儲かりますが、土砂崩れや感電のリスク、強風でパネルが飛んでくる危険など、近隣住民には迷惑が多く、電気代が上がるので、都民はたまったものじゃありません。

日本はなぜこんなもので、一部の人たちが儲けて国民が苦しむ仕組みを作ってしまったのでしょう？

９・11テロの際アメリカで起きたショック・ドクトリンを思い出してください。あれと同じように、２０１１年の３・11でもまた、日本版ショック・ドクトリンが仕掛けられていたのです。

3　災害と省エネはこう結びつく

ショック下で登場する新ビジネス

国がショック状態にあるときは最大のビジネスチャンスですから、民間企業がたくさん集まってきます。

もちろん、なかには真剣に地域のための復興を……と願う企業もあるかもしれません。けれど、過去の歴史を見てもわかるように、災害から立ち直った後の社会で生きていくのは私たちですから、非常事態が大規模であるほど、手を差し伸べてくれる企業については、感謝と同時に冷静な目で観察しなければなりません。

あのとき、地震と原発事故という二重災害によって、私たち日本人は大パニックになりました。テレビで流れる津波映像は視覚的にトラウマになるくらい強烈で、見ていたら体調が悪くなったという人が続出したほどです。

そこで「日本を再エネで復興したい」と手を挙げてきたのが、ソフトバンクの孫正義社長でした。

民主党の菅直人総理は、孫氏の提案する再エネ方針を取り入れた再生可能エネルギーの固定価格買取制度をスピード導入。当時電力に1キロワット時6円支払われていた補助金の7倍もの42円という大盤振る舞いを決定し、発電した太陽電気を電力会社が買い取った分は、私たち国民の毎月の電気代に上乗せされることになったのです。

「原発から脱却し、日本は再エネで生まれ変わる」

はい、素晴らしいですが、ちょっと待ってください。

ショック・ドクトリンの重要ステップである、企業側の動きを見てみましょう。

孫正義氏は、菅総理と会食を繰り返しつつ、**太陽光パネルを最速で全国に普及させるべく、都道府県などの首長にもアプローチを開始**しました。ソフトバンクが主宰する「自然エネルギー協議会」を立ち上げて自らが事務局長に就任すると、各地の首長を勧誘したのです。

原発事故の後の自然エネルギー協議会ですから、みな疑いもせずに入会、自分の地元で太陽光パネルやメガソーラーの設置事業をソフトバンクに発注し、土地を提供しました。

ショック・ドクトリンを見破る方法の一つは、なんだかおかしいな、と感じたら、いったん立ち止まること。

実はこのとき、孫氏の協議会に違和感を抱いて、入会を辞退した首長が2人いました。

千葉市の熊谷俊人市長と、岐阜県の古田肇知事です。

熊谷市長はこう考えました。

〈この分野になんの実績もない民間企業がいきなり出てきて太陽光発電をやりましょうという。それに行政の長である自分が乗っかるのはまずくないか？〉

孫氏の出してくる再エネ料金に不可解なものを感じたのは、古田知事です。

〈なんか、この料金設定、高すぎないか？〉

古田知事のこの嗅覚の鋭さは、後に驚愕の事実とともに証明されることになりました。

もっともらしい数字やデータは、緊急時ほど疑うべし

民主党や首長たちに向かってFITのプレゼンをする際、孫氏が比較材料として見せていたのはヨーロッパの国々の事例でした。

「ヨーロッパでは、メガソーラーの1キロワット時の買取価格が平均58円です。だから日本は40円、41円くらいにしないといけません」

ところが奇妙なことに、ここで使われていたデータはなぜか前年のものでなく、2年前（2009年）のデータだったのです。

なぜでしょうか？

ヨーロッパでは前年の２０１０年に、再エネ買取価格が暴落していたのです。

どこも軒並み下落して、平均買取価格は孫氏が言った58円の半分以下の20円にも満たず、スペインに至ってはわずか2年で固定価格買取制度自体が破綻していたのでした。

さらに、孫氏が見せていたのは、**地面に設置するメガソーラーよりずっと高い、屋根につけるタイプの太陽光パネル**の買取価格。これらを一緒くたにしてメガソーラーもパネルも同じ値段です、と説明していたのです。

今こうして見ると、よくある「なんとか投資セミナー説明会」で、数字のトリックを使って高齢者を引っかけるような話だと思わざるを得ません。

政府与党でも首長協議会でも、誰もこの数字に突っ込む人はいなかったのでしょうか？大きなお金が動く事業ですから、通常は海外の運用状況や過去の失敗事例などを、まず自分たちでも調べてから、じっくり検討しますよね？

つまりこれが、ショック状態に置かれたときに、私たちが陥りやすい罠なのです。

緊急事態下での、もっともらしい数字やデータは要注意。私たち日本人が大変弱い、「外国ではみなさんこうされてますよ」にも注意が必要です。

特にヨーロッパなどは憧れのイメージを持つ人が多いだけに、初めから疑ってかかる姿勢でいかねばなりません。

孫氏が初めから騙そうとしたということではなく、公共サービスを民間と進めるときは長い時間軸で、公益や数字に表れない地域への影響まで見る必要があるからです。

この再エネ賦課金は、導入した2012年からの10年で10倍以上に跳ね上がってしまいました。この10年で政府が投入した22兆円はすべて私たち国民が支払わされ、国民一人あたり10万円の負担です。

この後買取価格は下がったものの、最初に設定された価格は20年間そのまま固定。このため、初期に参入した事業者が受け取る高額の補助金はずっと変わりません。

設置コストは年々安くなっているので、差額がそのまま儲けになるのです。

関係者の心を動かす見事なプレゼンで政府にFITというドル箱を設置させると、孫氏は即座に太陽光パネル事業に参入、全国展開を開始しました。

海千山千の国際ビジネスマンらしい、無駄のないその動きは、まさにショック・ドクトリン上級者と言ってもよい事前準備とスピードです。

前述したように、ショック状態にあるときは、判断力がいつもより鈍っているため注意しなければなりません。もっともらしい数字やデータで、動かされやすくなっているからです。

大規模災害が外資の餌食になるステップ

ここでもう一度、歴史をさかのぼって、過去の例を見てみましょう。

大規模な災害が起きたときのショック・ドクトリンに、どんな特徴があるのかを。

２００４年のスマトラ沖地震を覚えていますか？

大規模な津波を起こし、**スリランカの海岸線一帯を壊滅させて死者25万人と被災者１２０万人を出した**あの大地震です。

悲劇的災害でしたが、外資の不動産業界や金融業界にとって、これは大きなチャンスでした。それまでずっと、地元民の反対で開発ができずにいたからです。

何もかも押し流されてしまった海岸は、まさにフリードマン教授の言うところの「弱った白紙状態」になっていたのです。

何度も言うように、ショック・ドクトリンはスピード勝負。世界銀行と外資系企業群が前もって用意していた「スリランカ再開発大計画」が即座に登場しました。

地元民と地域経済を破壊して儲ける新自由主義政策（規制緩和、民営化、社会保障切り捨て）のオンパレードの内容は、地震前は地元民に徹底抗戦されて、手も足も出なかったのです。

しかし、津波で家も仕事もお金も失い、着のみ着のままで避難所に身を寄せていた地元民たちは、ショックですっかり弱り、不安と恐怖で思考停止状態でした。

壊滅的危機状態では、どんなに強い政府も民も、崩すのは難しくありません。

ショック・ドクトリンのその法則を知り抜いていた強欲資本家たちは、かねて狙っていたこの地域を手に入れるべく、一気に襲いかかったのです。

復興のために、外国金融機関から何千億円もの融資を受ける代わりに、スリランカ政府は数々の新自由主義政策（規制緩和、民営化、社会保障切り捨て）をのまされることになりました。国民のために**ずっと守ってきた国営の電気や水道は、震災からたった4日で民営化**され、ガソリン代は引き上げられ、大型漁港や高速道路の建設も開始されてしまったのです。もっともらしい数字が次々に示され、あれよあれよという間にスリランカの国有財産は叩き売られていきました。

被災地は「水没危険区域」に指定され、被災者たちは津波で流された家や仕事場の建て直しができなくなってしまいました。自分たちだけはこのルールから免責されるよう根回ししておいた外資系企業群は、気の毒な漁民たちが避難所から帰宅できないでいるうちに、さっさと狙っていた海岸に参入し、急ピッチで高級リゾートホテル建設を始めたのです。

ショック・ドクトリンのチェックポイント、お金と人事を見てみましょう。

このとき、災害復興計画委員会と外資系企業群の間の回転ドアは、もちろん勢いよく回り、札束がたっぷり飛び交っていたのは言うまでもありません。

委員会のメンバーは国内の財界大手と金融大手の代表で占められ、その半数が外資の本命である国内最大規模のリゾートホテル開発関連の株をしっかり持っていました。

このように、それまで不可能だったことが、一気に規制緩和されてビジネスがしやすい環境に作り変えられるのが、ショック・ドクトリンなのです。

水と海と空港を売った宮城の「3・11ショック・ドクトリン実行委員会」

3・11の日本で起きたのは、津波に加えて人類史上最悪の原発事故というダブルショック。まさに外国勢力から見たら、かつてない規模のビジネスチャンスが山盛りでした。

たとえば被災した宮城県の復興推進委員会のメンバーを見ると、政権与党で規制改革の旗を振る大学教授や外資系シンクタンク、大企業トップがずらりと顔を揃え、どう見ても復興ではなく「ショック・ドクトリン実行委員会」です。

もともと村井嘉浩宮城県知事自身が竹中平蔵氏と親しい新自由主義信奉者だったこともあり、漁業や水道や空港の民営化、外国企業の誘致などのドクトリンは、障害もなくスピーディに実行されていきました。

２０２１年には、ついに日本で初めて、上水道、下水道、工業用水の9事業をまとめた運営権を売却。受託した企業の51%の株式を持っていたのは、外資系水道メジャーのヴェオリア・ウォーターでした。漁業権も開放して外国企業もどんどん参入、まさに外資にとっては笑いが止まらないショック・ドクトリンが繰り広げられていると言えるでしょう。

水や海という、国民の命や環境、国の安全保障に関わる最重要分野を手に入れることは、その国の生存権を握ることと同じです。

ショック・ドクトリンのもう一つの顔が、ビジネスを通した新たな植民地政策であることに気がつき、私たち国民の手で、火事場泥棒たちのやりたい放題を阻止しなければなりません。

ここまで読んだみなさんの多くは、太陽光パネルにもこれと同じ共通点があることに気づいたことでしょう。再エネ自体は悪いものではありませんが、3・11のショックの下で入れてしまったあの制度設計に、大きな問題があったのです。

再エネという美談で外資の植民地になる日本

まず最初に、電気の4倍もの高い買取価格を設定してしまったこと。これによって、猫も杓子も参入し、全国に大量に乱立するようになってしまいました。

たとえば2012年に最高値で買った権利を持っている人（またはその権利を買い取った人）は、まだあと10年残っている権利が莫大な利益を生み続けるので、期限内に残った買い物ポイントを使い切るように、できるだけ設置しておこうとします。

なかでも、全国で深刻な問題を引き起こしているのが、先ほどのソフトバンクの孫正義社長が震災直後に導入を提案した、「メガソーラー」と呼ばれる**発電量1000キロワット以上の巨大パネル事業**です。

パネルを取り付けるために森の木を切ったり斜面を無理に削るので、雨が降ったときに土壌が保水しきれなくなり、土砂崩れが起きてしまうのです。

全国データを見ると、太陽光発電の工事現場では、なんと10回中1回は土砂崩れが起きているという本末転倒。環境を守るためのはずが、森の木を切り、土壌の持つ力を弱らせ、挙げ句の果てに土砂崩れで地域住民が被害に遭う。「いったいなんのための再エネだっけ？」というような、とんでもない状況になっているのでした。

エネルギーインフラを外国産に依存するのは有事のときにリスクになるので、本来は国産を増やすのが得策です。けれど国際競争力を上げるために、政府がじゃぶじゃぶ補助金を入れて「どんどん作れ！」と煽っている中国製パネルがダントツに破格の安値で、どうしてもみなさん中国製を買ってしまう。つまり、政府が補助金を出して輸入規制するなどの行動を起こさない限り、中国製にはまず勝てません。

ところが、その部品の45％を、人件費が最安値の新疆《しんきょう》ウイグル自治区の強制労働で作らせているという疑惑が浮上したのです。

回転ドアと企業献金の牙城であるアメリカでは、常に政府が企業に忖度するため、仕入れ価格を高騰させるような政策はなかなかとりづらいのですが、「人権」というお金に関係ない理由が出てきたので、政府は即座に中国メーカー4社への制裁を決定しました。

アメリカに続いたのがフランス政府で、国産パネルを補助金で支援することを決定。エネルギーでの中国依存から抜け出す行動をしっかりと起こします。

イギリスは、太陽光パネルの輸入比率を下げ、国として洋上風力発電のほうをメインに力を入れる環境政策に切り替えました。

こうした国々以上に、安全保障面で警戒しなければならないのがここ日本です。

たとえば上海電力が所有する岩国発電所のように、軍事基地の近くに設置されている太陽光パネルもあるからです。２０２０年10月時点で、**中国系資本が絡む再エネ事業者が買い上げた日本の土地が、１７００か所を超えた**ことが官邸に報告されました。

日本には外為法（外国為替及び外国貿易法）という法律があり、これを使えば企業に注意勧告をすることができるのですが、日本政府はなぜか及び腰。

アメリカのような輸入制裁も、ヨーロッパのようなウイグル問題への対応もせず、相変わらず中国製パネルを国内に入れ続けています。

新築物件に太陽光パネル設置を義務づけた東京都でも、中国製パネル輸入による民族虐殺加担を警告するウイグル人団体や、雨の多い日本でのパネルによる感電リスク、売電価格上乗せによる電気代上昇などから反対の声がかなり上がりました。

でも小池都知事は「企業が気をつければいい」とのらりくらり。

いったいなぜ、国も東京都も、こんなに他国に忖度するのでしょう？

4　電気自動車も十分CO_2を排出する

おかしいなと思ったときは、お金の流れをチェック

違和感を覚えたときは、お金の流れを見てみましょう。

小泉内閣で環境大臣を務めていた小池都知事は、太陽光パネル関連事業でウソの書類を提出し、11億円を騙し取って逮捕されたテクノシステムから200万円の献金を受け取っていることが指摘されています。

太陽光発電の義務化を推進した小泉進次郎元環境大臣は、父である小泉元総理と、俳優で兄の孝太郎氏が、テクノシステムの広告塔でした。

同じく、太陽光発電に多額の予算確保を提唱した元経産官僚で竹中平蔵経済財政政策担当大臣の秘書だった岸博幸内閣官房参与は、竹中氏とともに、太陽光発電の国内普及の急先鋒である、新生ホームサービスの特別顧問を務めています。

千葉県の洋上風力発電事業において、衆議院予算委員会で質問し、入札後にルール変更させた自民党の秋本真利衆議院議員は、変更後に有利になった洋上風力会社の株式を大量

に保有。再エネ議連メンバーでありながら、洋上風力発電業界から1800万円の献金を受け取っていました。

太陽光発電の買取価格を決定する際に意見が求められる調達価格等算定委員会の委員長は、太陽光パネルやメガソーラー事業を全国展開している、ソフトバンクの自然エネルギー財団に所属しています。

値段を決める立場の人が、受注する側の企業の関係者と同一人物というのはよろしくありません。第2章に登場した、**ワクチンメーカーの日本法人執行役員が東京都の教育委員会メンバー**というのと似たようなパターンです。

もちろん本人たちは「よからぬことなど考えていません。子どもたちの未来と地球が何より大事です！」と言うでしょうが、やはり公共サービスや行政に関しては、私たち日本人特有の性善説はいけません。

エストニアの鉄則を覚えていますか？

「制度は性悪説、人間には性善説」

権力を持ったら悪い考えが浮かぶのは人間の性。だから先に、悪さをする前提でそれができない仕組みをがっちり作る。疑うのはシステムだけ、そうすれば逆に人間を信頼しやすいのでストレスが減るのだそう。

他人を思い通りに変えることはできませんが、**民主主義の国である限り、仕組みならまだ自分たちの手で変えられます**から、希望がありますね。

インボイス制度の裏で――電気代がまた上がる!?

政府が不穏な動きをしているときは、同時期に出てくる法律もしっかりチェックしましょう。一つの法律の中に、別の法律のかけら（国民に不都合なもの）がねじ込まれていることがよくあるからです。

今、電気代が高騰し、日本各地から悲鳴が上がる中、もう一つ別の方向からも価格が上乗せされるのをご存じですか？

あまり知られていませんが、２０２３年10月から始まるインボイス制度は要注意です。

これは年収１０００万円以下のフリーランス（免税事業者）に新たな税と事務負担を求める制度で、今までは消費税免税対象だった年収１０００万円以下の個人事業主は、10月以降「適格請求書発行事業者」として登録し、消費税を納めなければなりません。

収入の少ないフリーランスにはこれだけでも打撃ですが、だからといって登録しないでいると、仕事の取引相手が税控除を受けられず、代わりに消費税を負担させることになるので、契約自体をキャンセルされてしまうかもしれません。

コロナ不況の今、なぜわざわざそんなことをするのかと、全国200か所の地方議会から中止を求める意見書が出されていた矢先、さらに隠れていたもう一つの爆弾が出てきました。

2月末の衆議院財務金融委員会で発覚した、再エネ事業とインボイス制度と電気代の関係です。

自宅の屋根に太陽光パネルを取り付けて、FITを使っている一般家庭の多くはインボイス発行事業者に当てはまらず、買い取る電力会社側の負担になってしまうからです。資源エネルギー庁は国会を通さずに、いつの間にか省令でこの分を私たちの毎月の電気代に上乗せすることを決めてしまいました。

特に、小池都知事が新築の家に太陽光パネル設置を義務づけた東京都で、インボイス登録をしない新築の家が増えるほど、電気代が上がっていくことになるのです。

コロナ禍とウクライナ危機による資材高騰で、その多くが倒産リスクに直面する農家にとっても他人事ではありません。

農産物を農協に無条件で販売委託しない限り、農家もインボイス登録の対象になるからです。また、仕事を依頼する高齢者にインボイス登録をする経済力がなければ、シルバー人材センターは負担増で倒産し、日本の高齢者は働く場所を失ってしまうでしょう。

岸田総理は総裁選のとき、「増税は考えていません」と豪語しました。でもフタを開けてみれば、そんな約束などなかったかのように、あらゆる角度から増税祭を繰り広げています。相続税にたばこ税、炭素税に消費税……まさにやりたい放題。

潰《つぶ》されるべきは零細事業者ではなく、総理の「聞かない力」のほうなのです。

「EV車はCO_2を増やすんですが……？」

「２０３５年までに、国内で販売する新車は１００％電気自動車にします」

２０２１年1月18日。

通常国会の施政方針演説で菅義偉総理がそう表明したとき、永田町内外で驚いた人は私以外にもたくさんいたのではないでしょうか。

ガソリン車もハイブリッド車も禁止？

政府が急ピッチで何かやり出すときはアラームが鳴るのですが、このときもやはり、モヤモヤした違和感でいっぱいになったのでした。

アメリカで中古のセリカに乗っていた私は、素晴らしい技術を持つ日本の車メーカーに、ある種、畏敬《いけい》の念を抱いています。ウォール街という「今だけカネだけ自分だけ」を地で行く人々が、実態のないインチキ商品を片手にマネーゲームに明け暮れる世界に身を置いていた反動かもしれません。

ちゃんと頭と身体の両方を使って、汗をかき、技術を伝承し、日々地道にものづくりに勤《いそ》しむ人々が、この世の中にちゃんといる。そう考えると癒《い》やされるのです。

ところで、車に詳しい人なら皆知っていることですが、ＥＶ車はあまりエコとは言えません。たしかに、**運転中に出すCO_2は少ないですが、搭載するバッテリーを作るプロセスで、かなりのCO_2を出してしまう**からです。

他にも充電やら発電やらいろいろ合計すると、走行距離が11万キロちょっと過ぎるまではガソリン車とたいして変わらず、さらに、途中でバッテリーを交換したら、そこからまたバッテリー生産過程で出した大量のCO_2が加算されるので、総合すると「どこらへんが脱炭素？」と言わざるを得ません。

当然トヨタの社長もすぐこのことに気がつき、菅総理の方針についての見解を述べる際、

「ＥＶ車を急いで普及させると言いますが、それ、逆にCO_2は増えるんですが……？」

と首をかしげていました。

さらにバッテリー交換が２５０万～３５０万円と高く、ほんの少し傷がついただけでも修理不能になって廃棄しないといけません。レアメタルを使っているのでリサイクルできず、捨てられたバッテリーパックの山が環境問題になっているという本末転倒。雪の多い地域では、立ち往生すれば凍死する危険すらあるのです。

そうやって総合的に考えると、ＥＶ車より環境にいいのはハイブリッド車ですが、そのための内燃機関エンジンを作る技術を持つ国はアメリカ、ドイツ、日本の３か国のみです。

アメリカの圧力による**脱炭素政策でドイツと日本の車技術が潰されかけている**のは、偶然にしてはできすぎた話でしょう。

回転ドアを何度もくぐったテスラの政商

政府が急ピッチでわけのわからないことを始めたときは、まず回転ドアが回っていないかを見てみましょう。３・11直後、菅直人総理にソフトバンクの孫正義社長がＦＩＴ導入を持ちかけたように。

菅義偉総理が急に脱炭素を言い出したのは、２０２０年の秋。

この時期、「新車は１００％ＥＶ車に」発言に至るアドバイスを、いったい総理は誰から受けたのでしょう？

その人物とは、経産省参与の水野弘道氏でした。

政治の世界に偶然はありません。

水野氏の場合は、参与として官邸に続く回転ドアをくぐっただけではありませんでした。彼は企業の社外取締役を兼任したまま参与をしていたので、何度もドアを行ったり来たりしていたのです。

その企業とは他でもない、ＥＶ車の売り上げで世界トップを誇るテスラでした。

みなさん、これを読みながら、「またか！」と天を仰いでいることでしょう。

自民党に1億円献金したＮＴＴが１０００億円分のマイナンバー事業を受注し、ワクチンメーカーの日本法人執行役員が子どもたちの予防接種を担当する教育委員に就任し、再エネ事業を展開する企業関係者が買取価格を決める委員会に入り、総理に脱ガソリン車政策を進言する参与のもう一つの顔が、ＥＶ車メーカーの社外取締役。まるで韓流《ハンりゅう》ドラマばりの相関図、しかも同じ役者が配役を変えてあちこちに登場する始末です。

水野参与の場合は、テスラの株式もたっぷり持っていましたから、日本政府の方針でＥＶ車の売り上げが伸びるほどに彼の資産が増えていくという、これ以上ないほどわかりやすい利益相反でした。

そしてやっぱり彼も、孫正義社長に負けず劣らず、やることが済んだら退場はマッハのスピードです。

菅総理が「新車は１００％ＥＶ車に」と表明したその日に参与を辞職。やれやれ一仕事終わったと言わんばかりに回転ドアをくぐると、速やかにテスラに帰っていったのでした。

「今だけカネだけ自分だけ」は決して許さない

ここまでに出てきたマイナンバーやワクチンもしかり、日本をショック・ドクトリンの魔の手から守るために絶対に欠かせないのは、この回転ドア。これをなんとかしなければなりません。

数年前に、心ある自民党議員たちを中心に、**利害関係者は有識者会議に入れない、というルール**を附帯決議に設けるところまで持っていったことは、ほとんど知られていません。

附帯決議というのは拘束力はないので、初めの一歩といったところですが、少なくとも問題視している議員たちがいるのは確かです。

希望を捨てることはありません。

ショック・ドクトリンの戦略の一つは、都合の悪いことは極力隠蔽、が基本。メディアで取り上げさせないだけでなく、人々の意識の中にも入れないようにしないといけません。そのため、肝心なときには、芸能人のニュースを横並びで一斉に流させるなど、あの手この手を使って関心をそらし、国民の「忘却力」を活性化させてくるのです。

だから何があっても、ひるんではいけません。

回転ドアのように、政府のやりたい放題を支え続けていながら国民が知らないこと、こういうことは何度も繰り返し口に出し、話題にし続けることが重要です。人間は何度も目に入る言葉は無意識に頭に残るもの。あとで何かのきっかけで思い出し、気になって検索する可能性があるからです。

SNSに全然関係ない話題を投稿する際に、「#回転ドア」などのハッシュタグをさりげなく添えて出すのも、意外に効果があなどれません。

今後も地元選挙区の国会議員や地方議員、マスコミや周りの人に、回転ドアの存在を繰り返し知らせ続けていきましょう。「認知戦」に負けないよう、日頃から防御することも大事です。

たとえば、２０２３年４月。TikTokは気候危機への意識を高めるために、**気候変動の存在やその要因を否定するユーザーや動画を削除する**方針を発表しました。

また、前述した太陽光パネルの材料が作られているという疑惑のある新疆ウイグル自治区について、ChatGPTで検索しても、中国との関係はあまり出てこないようになっていることが指摘されています。

TikTokは中国政府が見ていますし、ＧＡＦＡは政府からの要請もあって中立は期待できませんから、できるだけ検閲のかからない検索エンジンを使いましょう。

たとえば検索エンジンはGibiru《ギビル》やDisconnect Search《ディスコネクト・サーチ》といったものを使うと、匿名のままで何種類かのソースから出してくれます。

調べたものを追跡されたくなければStartpage《スタートページ》やOscobo《オスコボ》、検索結果まで暗号化してくれる上級者用のSearch Encrypt《サーチ・エンクリプト》などもありますので、いろいろ使ってみてください。

ネット検索やショッピングに地図アプリなど、個人情報はできるだけ収集されないようにしておきましょう。

5 市民が地方で、命を守る

国も法律も守ってくれない中、各地で市民が立ち上がる

３・11で仕掛けられたショック・ドクトリン。

あのとき、政府が導入した固定価格買取制度の売電権という投資商品が、ほとんどルール無用で高値売買され、儲かるビジネスに群がった事業者が全国各地に太陽光パネルやメガソーラーを設置。景観は崩れ、土砂崩れや水質汚染、感電リスクや電気代高騰、処理方法のない有害廃棄物の発生など、拡大する被害になんの対応もしない行政に対する怒りが限界に達した地域住民たちが、とうとう立ち上がりました。

２０２１年７月18日。静岡県熱海市で土砂崩れが起きたことをきっかけに、全国17都道府県から40の市民団体が集まって発足した、全国再エネ問題連絡会です。

今では会員も３３００人を突破。会の最後を締めたのは、大切な地域の宝をなんとしても守り抜くという、決意のアピールでした。

「今日、地球温暖化対策の大義名分のもとに、大規模自然破壊兵器と化したメガソーラー

や風力発電が、地域住民の健康やこれまで通りの安心安全な生活を脅かしている。投資家や事業者の財産権や営業の自由ばかりが重視され、この国が持つ宝であり、これまで守り続けてきた多くの希少な資源を無残にも失い、そこに住む住民の生存権が軽視されている。外資系による巨大プロジェクトには、日本の経済安全保障に関わる脅威が存在する。本日発表されたものはごく一部であり、すでにとり返しのつかない乱開発は全国各地でおこっている。国民が一致団結し、これらの問題を一日も早く解決しなければならない」

自分の地元で「太陽光発電規制条例」を作って守る

国の反応が鈍いうえに、行政は再エネビジネスをする側の事業者に忖度し、法律は穴だらけ。いったい、自分たちの地元はどうやって守ればいいのでしょうか？

大丈夫です。実は、あまり知られていませんが、私たちがこうした「今だけカネだけ自分だけ」環境ビジネスのやりたい放題を蹴散らす、強い武器があるのをご存じですか？

その法律の名は、「地方分権一括法」。

私たちは自分の住む地域のルールを「条例」として作り、違反者に罰則も科せるのです。

２０２３年４月時点で、兵庫県、和歌山県、岡山県、山梨県、山形県、宮城県、奈良県

の7県と、２２８の市町村が太陽光発電規制条例を導入しています。

全国で最も厳しい条例を作った、山梨県を見てみましょう。

山梨県では、土砂崩れリスクがある場所や森林地域で、出力10キロワット以上の施設の建設は禁止。結果的に県土の8割が建設禁止区域になりました。

まず設置から始まり、維持・管理の仕方、使い終わった後のパネルの廃棄方法まで、厳しく県がチェックの目を光らせ、もしルール違反がバレたら立ち入り審査をして罰金を払わせるという徹底した内容です。

地方自治体で条例を作る際、もう一つ知っておくといいことは、**国の法律とうまく組み合わせると、効果が大きくなる**こと。たとえば県や市町村が独自の条例を入れたとしても、国が一度認定したＦＩＴを取り消せなければ、取り締まり効果は小さいでしょう。

そこで、２０１６年に改正された再生可能エネルギー特別措置法の登場です。この改正では、もしも条例など別の法令に違反した場合、ＦＩＴ認定を取り消すことができると定めているからです。

長崎幸太郎山梨県知事は力強くこう言いました。

「森を切り開いて太陽光発電施設を作らせることは、山梨では今後もうないだろう。私は訴えられるリスクなど恐れない。むしろ最高裁判例を作る覚悟で臨むつもりだ」

農家に仕掛けられた温暖化ショック・ドクトリン

自国政府による温暖化ショック・ドクトリンは、同じように国外でもたくさん起きています。オランダでは２０２２年に、政府が**脱炭素を理由に家畜の数を３分の２に減らし、さらに農地を強制的に買い取る**計画を発表して以来、激怒した農家との間で激しい対立が続いてきました。

政府が出した目標は、２０３０年までに、家畜が出すアンモニアと窒素《ちっそ》化合物の排出量を50％削減すること。さらに保護区付近では95％まで作業を縮小しなければ農地を政府に売却させ、廃業せよと要求しているのです。

２０３０年までに窒素排出を半減させるために、２５０億ユーロの税金を投入し、１万１２００の農場を没収する計画も立てられていました。

オランダ全土の農場の２割が政府に農地を取り上げられ、畜産の３割が家畜を大幅に減らされるという恐ろしい政策ですが、温暖化ファシズムのような内容に怒った農民たちは、反対の意思表示をすべく、皆で行動を起こします。

4万人の農民がトラックやトラクターに乗って出動、国内20か所の食品流通センターを封鎖し、交通網を麻痺させたのでした。

オランダを見た他国の農民たちも、同じように声を上げ始めました。

カナダにドイツにイタリア、スペイン、アイルランドにベルギー、ポーランドにニュージーランドでも、やはり政府が温暖化をたてに、さまざまな方向から農家を追い詰める方針を進めていたからです。

けれどオランダの農民たちが政府のやり方に抱いた違和感には、もう一つ別の理由がありました。

「ちょっと妙なんだよ」と、抗議行動に参加していた農民の1人、ジャンセン・アンドリンガ氏は言いました。

「このままだと近い将来地球は住めなくなるって脅かしながら、窒素を出すなとか、牛を減らせとか、政府のそういう要求が、なんで農家ばかりに集中しているんだろう？　全く理由がわからない」

アンドリンガ氏と同じ違和感を覚えた農民は、他にも何人かいるようでした。

政府が急ピッチで進めることに、モヤモヤしたものを感じるときは、ショック・ドクトリンである可能性があるでしょう。

彼らはこう思ったのでした。

「温暖化による地球滅亡というショックをたてに、畜産を潰し農地を没収するドクトリンを進めているのでは……？」

ショック・ドクトリンを見破る方法の一つ、同時進行で進んでいるプロジェクトを見る、というのを思い出しましょう。

たとえば、２００５年に米ルイジアナ州ニューオーリンズを浸水させたハリケーン・カトリーナ。あのとき、被災者を近隣の州に追いやりながら、水没した校舎の跡に企業が経営する新しい民営学校の建設プロジェクトが同時進行で着手されていたことは、今も忘れられません。

調べてみると、オランダ政府が自国農民を土地から追い出すその裏で、同時に進めていたプロジェクトは、すべてをデジタル化した都市、「スマートシティ」の開発計画でした。

同国のコンサルタント、ピーター・サベルバーグ氏が描いたこの構想は、３０００万人から４０００万人の住民が、**水耕栽培や昆虫食などCO^2を出さない健康な食事**をし、あらゆるデータがネットでつながれ、生活に必要なサービスが最速で受けられ、持続可能な生活スタイルを送るという、全く新しい都市計画です。

実現するには、小規模な土地ではできません。

これだけのメガポリス都市を建てるには大量の土地が必要ですから、まずはいったん政府が農地を買い上げ、それから建築するのが合理的でしょう。オランダの国土の半分は、農地が占めているからです。

温暖化がもたらす未来のイメージで脅し、その間に社会を作り変えようとするオランダ政府のこのやり方は、まさにショック・ドクトリンだったのでした。

どの国も沈黙する温暖化の真犯人とは？

再エネなのか？　石炭火力天然ガスなのか？

今も議論は続いていますが、実は一つだけ、ＣＯＰ25の国際会議でも議論のテーブルからさりげなく外されている項目があるのをご存じですか？

世界最大の化石燃料を消費している、真犯人のことです。

２０２３年４月。スウェーデンのストックホルム国際平和研究所は、２０２２年の世界の軍事費が過去最高の２４００億ドルに達したことを報告しました。なかでも過去70年あまりで最高の伸び率を出したのがウクライナの640%増。アメリカやEUの納税者が負担した巨額の軍事支援を除いた額ですから、凄まじい規模です。ヨーロッパも冷戦以降最大の増額、今後もまだまだ上昇していくという予測でした。

そう、世界で最も温室効果ガスを出しているのは各国の軍隊。ダントツの1位は、脱炭素政策の旗振り役であるアメリカの国防総省です。空軍の燃料費だけで年間50億ドルですから、推して知るべしですね。

なぜこれがCOPで問題にならないのかって?

アメリカは1997年の京都議定書でさんざんゴネて、軍事関連の炭素排出量報告義務から、ちゃっかり自分の国だけ外したからです。毎年報告しなければならないEU他46か国も、軍用機の分を一般飛行機枠に入れるなど少なく見せる工夫はしますが、アメリカだけずるいということで、2015年に免除を任意まで戻させました（任意なのでもちろんアメリカは出しませんがね）。

もっと優遇されているのは中国です。この間経済大国になり、軍事費も世界2位なのに、いまだに途上国枠なので報告義務なし。イスラエルやサウジアラビア、インドなども同様です。

炭素を世界一排出しながらも、軍事産業はどの国にとっても機密情報扱いの分野ですから、今後も透明性はあまり期待できません。多国籍企業がよく批判される、環境保護を謳《うた》いながら実際には環境破壊に加担している「グリーンウォッシュ」の、まさにメガトン級と言えるでしょう。

各国に脱炭素で人工肉や昆虫食、炭素トラッカーの導入を要請する**ダボス会議の参加者が、毎回プライベートジェットで二酸化炭素を撒き散らしながら到着する**矛盾も指摘されています。こうして見ると、「地球環境を守りたい」という私たちの善意のうえに実施されているはずの脱炭素キャンペーンそのものが、政治的なパワーゲームに転がされているのがわかるでしょう。

太陽光パネルもＥＶ車もＦＩＴも風力も、違和感チェックに引っかかる進め方をされていたら、押し切られずにいったん立ち止まり、声を上げる勇気を持ちましょう。

ショック・ドクトリンの仕掛けは、戦争やテロなど過激な暴力だけではないからです。民主主義や環境保護、人権、平等など、人々の善意に乗っかった美辞麗句のキャンペーンほど、悪用されないようにしっかりと見極めねばなりません。世界各国では、軍や中央政府が違和感丸出しの脱炭素政策を進める一方で、市町村など自治体が反対し、民主的にストップをかけています。

コロナ禍でリモートワークやオンライン教育を理由に、いつの間にかあちこちに設置された５Ｇの電波塔も、各国の主要メディアが安全を推す一方で、世界中の州や市町村レベルでは続々と禁止や規制する条例が導入されています。

「もう誰も、私たちを無視することはできません」——農民たちの勝利

脱炭素の先は、ディストピアでしょうか？

自分の頭で考えず、疑問を持たず、政府に言われるままに受け入れてしまえば、そうなるかもしれません。

けれどここで私たちが覚醒し、市民の側からのショック・ドクトリンを地域から入れることで、全く新しい未来の扉が開くとしたらどうでしょう？

環境問題は自分や子どもや孫たちがこの先も住む地域に関わることですから、後悔しないよう、違和感を見逃さず、地方議会や首長とともに、私たちも当事者の１人として地域作りに関わっていきましょう。

そんな仲間が世界中に増えているのは、それが思いのほか楽しい道のりだからです。覚

えていてください。もう一つの扉を開くキーワードは、民主化と地方自治なのです。

２０２３年3月15日。この日、オランダ全12州で行われた中間選挙は、国民と周辺国にとって忘れられないものになりました。

政府の**理不尽な脱窒素目標と家畜削減要求に対する、農民たちの怒り**と抗議行動が日に日に拡大し、ついに世論を動かしたのです。

「反対しても動かないなら、次は連中の城に行くまでだ。だから自分たちで新しい党を立ち上げて、仲間に出馬させたんだよ」

アンドリンガ氏によると、この選挙の投票率は、過去30年で最高の62・1％を記録、農民たちが作った新政党ＢＢＢは、オランダ上院75席のうち16席を獲得、ルッテ首相の保守党ＶＶＤは過半数を割りこみ、農民たちのＢＢＢは初の選挙にもかかわらず、州レベルで一気にトップに躍り出たのでした。

ルッテ首相は変わらずとも、過激な農業改革には確実にストップがかかるでしょう。

農民たちは選挙中、繰り返しこう訴えました。

「自分たちには、家畜を大切にし、植物の声を聞き、安心安全な農作物を愛情込めて育て、この国の食を支えてきた誇りがある。異常な脱炭素政策を強制し、農村を破壊し、食べ物を育てる生産者を蔑ろにする国に未来はない。だからこれからは、自分たちが当事者となって、民主的に責任を持って社会を作っていく」

BBBのキャロライン・ファン・デル・プラス代表は、勝利の挨拶《あいさつ》でこう言いました。

「もう誰も、私たちを無視することはできません」

これは海の向こうの、日本とは無関係の話でしょうか？

いいえ、今日本でも、全く同じことが起きています。政府が自国の牛乳を捨てさせながら、外国から乳製品を輸入し、乳牛を殺処分すると補助金を出し、主食のお米は生産調整で減らさせる……オランダと同じでしょう。

違うところは、**気づいて行動する人たちの声が、まだ小さい**こと。

「大丈夫だよ」

私の言葉に、アンドリンガ氏はそう言ってくれました。

「だって日本にも、選挙があるじゃないか」

そう、彼らと同じように、小さい規模でもできるところから、あきらめず声を上げ続けましょう。

環境のために入れたはずのメガソーラーが環境を破壊していくのを見ていられずに立ち

上がった全国の市区町村、「訴えられるリスクなど恐れない」と、大切なものを守る覚悟を宣言した山梨県知事をはじめ多くの首長や、地元を愛する地域住民たち。

オランダの農民たちの勝利は、ヨーロッパに飛び火して、もっと多くの農民や市民の背中を押すでしょう。

彼らにできるのですから、私たちにだって、必ずできるのです。

おわりに

２０２２年1月。台湾のデジタル担当大臣、オードリー・タン氏とオンラインで対談した際、マイナ保険証の話になりました。台湾はコロナ禍の初期、オンラインで提供したマスク在庫地図とアプリによって、買い占めパニックと感染拡大防止に成功していたからです。その秘訣を聞くと、彼女は即座にこう答えました。

「憲法の範囲内でやることです。緊急事態だからといって、決して、権力を集中させてはいけません」

それを聞いたとき、終戦直後の日本で、同じ警鐘を鳴らした一人の大臣を思い出しました。

１９４６年夏の国会で以下の答弁をした、金森徳次郎憲法担当大臣です。

「国家緊急権は、緊急事態を理由に憲法が破壊される危険がある。緊急のときは、今ある法律で対応すべし」

（１９４６年7月21日　第13回帝国憲法改正案委員会）

コロナ禍で急ピッチに進む憲法改正議論の中に、災害時に内閣に権力を集中させ、国民の権利を一時的に制限する「緊急事態条項」が入っていることは、偶然ではありません。

次のパンデミックで速やかに対応できるよう導入せよ、とのことですが、緊急事態条項は自然災害大国の日本では発令のハードルが低いため、政府が伝家の宝刀を簡単に使える体制になり、やりたい放題の総仕上げとなる危険な改正でしょう。


また、２０２３年４月に国会で決まった、同年秋に発足予定の内閣感染症危機管理統括庁は、同時並行で進行中の、ＷＨＯに各国政府を超越した権力を与える「パンデミック条約」と連動しています。

９・11後のアメリカでは、テロとの戦いという無期限の「緊急事態」を手に入れた政府と軍と警察がやりたい放題になりました。

今や情報だけでなく、思考まで誘導してくる検索エンジンやＳＮＳ、ChatGPTなどのおかげで頭を使う場面は減りつつありますが、この本を読んだみなさんはきっと、簡単に鵜《う》呑みにすることなく、一つひとつの点を縦横の時間軸でつなげることで、今も次々に仕掛けられているいくつものショック・ドクトリンを見抜き始めていることでしょう。

大丈夫、あきらめる必要はありません。

この本に出てくる、同じように違和感を抱いている国内外の人々が、辛抱強く政府や学校、役所などに声を届けたり、情報公開請求や裁判、市区町村レベルの条例などで、自分たちの最終決定権を一つひとつ取り戻している姿を見てください。

一番大事なことは、どちらが正しいか間違っているかという善悪でなく、「おかしいな」と感じる自分の直感をキャッチする感性を持ち続け、最後まで「選択肢」を失わないことなのです。

あふれかえる情報とスピードの中、仕掛けられるゲームが強欲さを増すほどに、五感を再起動して立ち止まり、長いスパンで歴史をひもとき、自分の頭で深く考える国民は、時間とともに輝きを増す、我が国の尊い財産になるでしょう。

多様な知恵を出し合って大切なものを守ろうと世界中で立ち上がる「民衆のショック・ドクトリン」と、私たち大人が「無力感」という最大の敵に負けない姿を身をもって示すことが、子どもたちに胸を張って手渡せる大きな希望になるはずです。

この本を作るために日夜尽力してくれた幻冬舎編集部と関係者のみなさま、取材に協力してくれた国内外の方々、いつもそばで支えてくれる家族と友人と堤オフィススタッフと猫たちに、心から感謝を捧げます。

そして、未来を選ぶ自由を決して手放さないと決めた、世界中の仲間たちへ、愛をたくさん込めて。

２０２３年５月19日

堤　未果

参考文献

序章

・ゴードン・トーマス『拷問と医者　人間の心をもてあそぶ人々』吉本晋一郎訳、朝日新聞社
・ナオミ・クライン『ショック・ドクトリン　惨事便乗型資本主義の正体を暴く』幾島幸子・村上由見子訳、岩波書店
・堤未果『政府は必ず嘘をつく』角川新書
・堤未果『ルポ 貧困大国アメリカ』岩波新書
・Zuhair Kashmeri, "Data Show CIA Monitored Deprivation Experiments," Globe and Mail

第1章

・「マイナンバー制度による情報連携」内閣官房番号制度推進室・総務省大臣官房個人番号企画室
https://www.soumu.go.jp/main_content/000691748.pdf
・「民間事業者におけるマイナンバーカードの利活用」総務省自治行政局住民制度課
https://www.soumu.go.jp/kojinbango_card/cardrikatsuyou.html
・「サービスいろいろ！　マイナポータルでできること」内閣府大臣官房番号制度担当室

https://www.soumu.go.jp/main_content/000691745.pdf

・「【視点】マイナンバーカード、保険証利用の罠」東京保険医新聞
https://www.hokeni.org/docs/2019052300080/

・「『オンライン資格確認義務不存在確認等請求訴訟』について」東京保健医協会
https://www.hokeni.org/docs/2023030100012/

・「健康保険証廃止に伴う高齢者施設等への影響調査結果」全国保険医団体連合会
https://hodanren.doc-net.or.jp/hokenshohaishi/chosa/

・「NEC、デジタル・ファイナンスを起点とした本人確認・当人認証に係るマイナンバーカード関連サービス群を新たに体系化」日本電気
https://jpn.nec.com/press/202103/20210317_02.html

・“CDC Press Briefing Transcript: December 10, 2009” Centers for Disease Control and Prevention
https://www.cdc.gov/media/transcripts/2009/t091210.htm

・「マイナンバーカード　Q&Aその二」衆議院議員 河野太郎公式サイト
https://www.taro.org/2022/11/マイナンバーカード%E3%80%80q&aその二.php

・近藤佳大「日本の番号制度（マイナンバー制度）の概要と国際比較」科学技術振興機構
https://www.jstage.jst.go.jp/article/johokanri/56/6/56_344/_html/-char/ja/

・“Numbering” Republic of Estonia Consumer Protection and Technical Regulatory Authority
https://ttja.ee/en/business-client/communications-media/communication-services/numbering

・“Estonia - Information on Tax Identification Numbers” OECD
https://www.oecd.org/tax/automatic-exchange/crs-implementation-and-assistance/tax-identification-

numbers/Estonia-TIN.pdf

第2章

- “Swine-Origin Influenza A (H1N1) Virus Infections in a School --- New York City, April 2009” Centers for Disease Control and Prevention
https://www.cdc.gov/mmwr/preview/mmwrhtml/mm58d0430a1.htm
- “FACT SHEET FOR RECIPIENTS AND CAREGIVERS ABOUT PFIZER-BIONTECH COVID-19 VACCINE, BIVALENT WHICH HAS EMERGENCY USE AUTHORIZATION (EUA) TO PREVENT CORONAVIRUS DISEASE 2019 (COVID-19)” U.S. Food and Drug Administration https://www.fda.gov/media/167212/download
- デイヴィッド・ライアン『パンデミック監視社会』松本剛史訳、ちくま新書
- 「ｍＲＮＡ医薬品開発の米国Arcturus Therapeuticsがアクセリード株式会社と合弁で千葉県に日本法人を設立し、福島県南相馬市に製造工場を建設中」日本貿易振興機構
https://www.jetro.go.jp/invest/newsroom/2022/8c54ff725a448621.html
- “EU-Pfizer contract for vaccines, unfair agreement” European Parliament
https://www.europarl.europa.eu/doceo/document/E-9-2021-000419_EN.html
- “Pfizer Covid vaccine: Preventing transmission never required for jab’s initial approval” Times Now
https://www.timesnownews.com/world/pfizer-admits-it-did-not-know-its-covid-vaccine-prevented-transmission-of-virus-when-rollout-began-article-94836651
- “Bombshell: Pfizer exec admits Covid-19 vaccine was not tested” The Herald Zimbabwe

https://www.herald.co.zw/bombshell-pfizer-exec-admits-covid-19-vaccine-was-not-tested/
・「犬と猫のマイクロチップ情報登録」環境省　https://reg.mc.env.go.jp/
・“Countries begin negotiations on global agreement to protect world from future pandemic emergencies” World Health Organization　https://www.who.int/news/item/03-03-2023-countries-begin-negotiations-on-global-agreement-to-protect-world-from-future-pandemic-emergencies
・“Canadian authorities freeze financial assets for those involved in ongoing protests in Ottawa” CNN https://www.cnn.com/2022/02/20/americas/canada-trucker-protest-covid-sunday/index.html
・「行政及び民間等で利用される顔認証システムに対する法的規制に関する意見書」日本弁護士連合会 https://www.nichibenren.or.jp/library/pdf/document/opinion/2021/210916.pdf
・「米ファイザーとの新型コロナワクチン契約交渉不調の理由明らかに」日本貿易振興機構 https://www.jetro.go.jp/biznews/2021/06/9235660d178c7d52.html
・“Pfizer accused of holding Brazil ‘to ransom’ over vaccine contract demands” The Guardian https://www.theguardian.com/global-development/2021/sep/10/pfizer-accused-of-holding-brazil-to-ransom-over-vaccine-contract-demands
・“CONTRATO Nº 52/2021” Ministry of Health of Brazil https://aurores.org/wp-content/uploads/2021/08/Brazil-Pfizer.pdf

第3章

・平成30年版　情報通信白書「第1部　特集　人口減少時代のＩＣＴによる持続的成長　補論　中国の事例」総務省 https://www.soumu.go.jp/johotsusintokei/whitepaper/ja/h30/html/nd127320.html

・佐々木健「使用済太陽光パネルの大量廃棄問題」参議院常任委員会調査室・特別調査室
https://www.sangiin.go.jp/japanese/annai/chousa/rippou_chousa/backnumber/2020pdf/20201218137.pdf

・「インボイス制度の導入に伴うＦＩＴ制度運用上の対応について」資源エネルギー庁
https://www.meti.go.jp/shingikai/enecho/denryoku_gas/saisei_kano/pdf/042_02_00.pdf

・「『山梨県太陽光発電施設の適正な設置及び維持管理に関する条例』について」山梨県
https://www.pref.yamanashi.jp/kankyo-ene/jorei/jorei_seitei.html

・“Farmers’ protest party win shock Dutch vote victory” BBC
https://www.bbc.com/news/world-europe-64967513

・「太陽光発電設備の規制に関する条例」地方自治研究機構
http://www.rilg.or.jp/htdocs/img/reiki/005_solar.htm

著者略歴

堤 未果《つつみみか》

国際ジャーナリスト。東京生まれ。

ニューヨーク州立大学国際関係論学科卒、
ニューヨーク市立大学大学院国際関係論学科修士号取得。

国連、米国野村證券などを経て現職。

アメリカと日本を中心に政治、経済、医療、教育、農政、エネルギー、公共政策などについて、
公文書と現場取材に基づき各種メディアで幅広く発信を続ける。

『報道が教えてくれないアメリカ弱者革命』で黒田清・日本ジャーナリスト会議新人賞、

『ルポ　貧困大国アメリカ』で日本エッセイスト・クラブ賞、新書大賞を受賞。

著書に『日本が売られる』『デジタル・ファシズム』『ルポ　食が壊れる』などがある。

海外でも著作翻訳多数。

ＷＥＢ番組「月刊アンダーワールド」キャスター。

幻冬舎新書　690

堤未果のショック・ドクトリン

政府のやりたい放題から身を守る方法

二〇二三年五月三十日　第一刷発行

著者　堤　未果

発行人　見城　徹
編集人　小木田順子
編集者　木田明理　小林駿介
発行所　株式会社　幻冬舎
〒一五一―〇〇五一　東京都渋谷区千駄ヶ谷四―九―七
電話　〇三―五四一一―六二一一（編集）
〇三―五四一一―六二二二（営業）
公式HP　https://www.gentosha.co.jp/
ブックデザイン　鈴木成一デザイン室
印刷・製本所　中央精版印刷株式会社

検印廃止
万一、落丁乱丁のある場合は送料小社負担でお取替致します。小社宛にお送り下さい。本書の一部あるいは全部を無断で複写複製することは、法律で認められた場合を除き、著作権の侵害となります。定価はカバーに表示してあります。
©MIKA TSUTSUMI, GENTOSHA 2023
Printed in Japan　ISBN978-4-344-98692-3 C0295
つ-4-2

＊この本に関するご意見・ご感想は、左記アンケートフォームからお寄せください。
https://www.gentosha.co.jp/e/